KB197044

여기 삶의 길이 있다

린 Lean 경영

한정규 지음

차례

4부 로린마제 끈기와 열정의 사나이_199

아주 작은 불꽃에서 장엄한 화염이 폭발한다

'린Lean 경영'이란 '더 빨리, 더 효율적'이라는 경영시스템을 말한다. 린Lean 경영' 책을 쓰게 된 배경은 2007년 미국에서 발생한 금융위기로 기업이 쓰러지고, 일자리를 잃은 사람들이 길거리로 내 몰리면서 겪게 되는 삶에 대한 고통과 관련이 있다. 고통의 소용돌이에서 벗어나기 위해서는 스스로 변해야 한다. 이 책에서는 어떻게 변해야 할 것인가를 말하고 있다.

변화를 원하면 이 책을 끝까지 읽되 눈으로 읽지 말고 가슴으로 읽어라. 이 책은 소설이 아니다. 재미로 읽을만한 책 또한 아니다. 그래서 가슴으로 읽으라는 것이다.

미식가가 음식을 입에 넣고 몇 번이고 씹으며 맛을 음미하면서 즐기듯 이 책 또한 그런 자세로 읽기 바란다. 가슴으로 읽어야 필자가 독자에게 전달하고자 하는 메시지가 무엇인지 그 의미를 깨닫고 새로운 지혜를 얻을 수 있을 것으로 봐진다.

당신이 이 책을 펼치는 순간 늑대를 비롯한 몇몇 동물을 접하게 될 것이다. 인간은 동물이 사는 모습을 보고 삶에 대한 지혜를 깨우쳤다. 동물의 특별한 기질을 닮은 자만이 크게 성공했다.

그래서 필자는 이 책에서 성공을 갈구하는 사람들을 위해 늑대를 비롯하여 개미, 하이에나, 코뿔소, 타조, 악어와 같이 독특한 속성과 기질로 사는 동물이야기를 함께 하고 있다.

필자가 이 책을 통해 말하고자 하는 것은 크게 세 가지다. 첫 번째는 동물의 삶을 보고 지혜를 터득, 성공 수단으로 활용하라는 것.

두 번째는 남달리 성공한 사람들의 삶과 자신의 삶을 비교하여 문제점을 찾아 개선하라는 것.

세 번째는 인간들에 의해 훼손된 자연이 가져다 준 재난으로 삶의 질이 떨어지고 급기야는 생존을 위협받게 된다. 그에 대비 새로운 선택이 무엇인지 고민을 하고 성공에 대한 꿈을 꾸라는 것.

위 세 가지는 한 인간이 취해야 할 몫이면서 전 인류가 가야할 길이다. 자신의 성공에 앞서 인류의 생존과 관련된다. 인간의 행동 하나하나가 생존에 대한 중요한 선택이다.

선택했으면 동기를 부여하고 성실하게 실천해야 한다.

단테는 "아주 작은 불꽃에서 장엄한 화염이 폭발한다"라고 말했다. 기업이 쓰러지고 일자리를 잃어 거리로 내몰려도 희망을 잃지 말고 단테의 말처럼 작은 일이라도 꿈을 갖고 현재에 충실하면 밝은 미래가 보일 것이다.

필자는 여러분이 이 책을 통해 새로운 진로를 찾아 성공하기를 바란다. 이번 출간한 '린Lean 경영'에 이어 위기를 기회로 삼아 불황을 극복성공을 이루어낸 국내외 기업들을 집중분석 또 다른 책을 집필 중이다. 기대해 주기 바란다.

끝으로 이 책에 나온 인물과 관련된 각종 자료는 이미 시중에 나와있는 책이나 신문 잡지 등에서 인용하였음을 밝혀 둔다.

2010년 2월
한 정 규

1부

현명한 자는 불 속에 손을 넣지 않는다

동물의 삶속에 인간이 살아 갈 지혜가 있다

지구는 삶을 위한 전쟁터다. 약육강식 속에서 살아남기 위한 싸움이 쉴 새 없이 벌어지고 있다. 식물은 식물 나름대로, 동물은 동물들끼리 또는 동물과 식물 간에 살기 위해 뺏고 빼앗기지 않으려는 싸움이 진행되고 있다.

내가 살기 위해서는 약자의 생명을 빼앗고 강자에게 내 생명을 빼앗기는 쫓고 쫓기는 가운데 사는 것이 지구상에 존재하는 생명체들이다.

생태계는 먹이를 중심으로 이어진 생물들 간의 관계인 먹이 그물로 돼 있다. 인간들의 삶도 예외일 수 없다.

먹잇감이라는 재물을 두고 치열한 혈투를 벌린다. 개인과 개인 간에, 집단과 집단 간에, 국가와 국가 간에 선의의 경쟁을 하거나 폭력을 앞세워 뺏고 빼앗는다.

인간들은 다른 동물이나 식물들과는 달리 자연을 극복

해야 하는 것 외에도 인간들 끼리 삶을 위해 끝없는 투쟁을 한다.

지구상에는 인간들과는 달리 경쟁과 투쟁이 아닌 협동과 단합으로 똘똘 뭉쳐 공동생활을 하는 개미가 있다. 개미는 작은 지표 포식자로 평소 보통 사람들의 눈에 잘 띄지 않는다. 개미가 지구상에 서식한 것은 1억1천만 년에서 1억3천만 년 전 백악기 중반에 말벌과 비슷한 조상에서 진화하여 속씨식물이 등장한 이후 분화 14,000여 종이 생존한다.

개미는 집단을 이루며 작게는 수십 마리에서 많게는 광활한 지역에 수백만 마리가 산다. 그들은 나무구멍이나 땅에 굴을 뚫어 집을 짓고 집단생활을 한다. 큰 집단을 이루고 사는 개미는 우두머리의 지휘통제 아래 공동생활을 모범적으로 한다. 개미는 유충에서 번데기를 거쳐 성충이 되는 완전변태를 통해 자란다.

애벌레는 일개미가 모이주머니 속에 저장 해둔 액체먹이를 토해 내 먹이고 키운다. 그리고 땅을 파는 일도 한다. 적의 침입은 병정개미가 막는다. 철저한 분업체계와 계급에 따라 위계질서를 지키며 공동생활을 한다. 또 임성암컷개미는 먹기와 짝짓기 외에 아무것도 하지 않는다. 날개 달린 숫개미는 비행 상태에 짝짓기를 하고 짝짓기가 끝나면 죽는다.

개미는 협동성이 매우 강하고 생명력 또한 끈질겨 생태

계 어디서나 적응하여 살기 때문에 지표생물체량 중 20% 정도를 차지하고 있다.

비가 온 뒤 메마른 길에 죽은 지렁이가 있는 곳에는 개미 떼가 붙어있다. 자기 몸 크기보다 수십 배 또는 수백 배 되는 커다란 지렁이 시체를 끌고 가는 것을 볼 수 있다. 그리고 죽어 있는 개미의 시체도 수거하여 몸에서 올레산을 발산 처리하는 영특함도 있다.

비록 땅에 붙어사는 지표동물에 불과하지만 그들은 인간과 다를 바 없는 사회적인 조직과 주거공간을 확보, 집단서식을 하며 생활하기 좋은 곳을 찾아 이주생활도 하면서 스스로 먹이를 생산하고 자원을 개발하기도 한다. 또 자신들의 안전을 위해 적을 방어하는 능력을 갖추기도 했다. 그래서 개미는 억 수 천년 동안 생명을 이어가는 몇 안 되는 생명체중 하나로 그 수 또한 적지 않다.

또 오랜 세월동안 다른 동물들과 공진화共振化하면서 서로 의지, 공생 또는 기생 관계를 이루고 있다. 뿐만 아니라 개미들끼리 의사소통을 한다. 서로 의존하고 복잡한 문제를 해결할 줄도 안다.

개미의 집단생활은 페로몬이라는 물질을 위푸르샘, 독샘 또는 후장, 미절, 직장, 가슴판, 뒤쪽 경절의 분비샘 등에서 생성 발산할 수 있어서 가능하다.

페로몬을 발산 신호를 하는 것은 다른 벌목곤충 보다도

뛰어났다. 그리고 길고 가는 더듬이를 움직여 냄새의 종류와 방향과 냄새의 강도를 알아낸다. 지표에 페로몬을 뿌려 다른 개미들에게 길을 알려, 따라 오도록 한다. 또 먹잇감에서 개미집까지 표시를 해서 다른 개미들이 차질 없이 이동하도록 한다.

먹이의 이동이 끝나면 마지막 돌아가는 개미가 표시 제거물질을 발산 서서히 살아지게 한다. 뿐만 아니라 적의 침입을 받거나 사람 등 다른 것들에 의해 눌려 죽게 되면 죽는 순간 몸에서 스스로 페로몬이 나와 주변 개미에게 경계신호를 보내 도주케 하거나, 때로는 공격신호를 보내 먼 곳에 있는 또 다른 개미들을 불러 집단 싸움을 벌인다. 타 집단 개미들과 싸움이 일어나면 선전 페로몬을 써서 적 개미들을 혼란시켜 자기들 끼리 서로 싸우게도 한다.

또 페로몬은 먹이에 섞이기도 하고 개미들 사이에 정보를 교환하는데 이용하기도 한다. 이렇듯 페로몬은 개미가 집단생활을 하는데 없어서는 안 되는 절대적인 물질이다.

어떤 놈들은 싸우면서 복부와 턱으로 소리를 낸다. 자기 집단 개미나 다른 종족들과도 의사소통을 한다. 대장개미가 싸움터에서 전술을 구사하고 지휘를 한다. 목숨을 걸고 싸운다. 적군에게 덤벼들거나 찌르고 개미산을 쏘거나 뿌리며 공격을 한다. 격렬한 전투를 치른다. 집게 턱이 있는 개미는 포식동물 중 가장 빠르게 물수 있다. 130마이크로

초안에 물고 입을 닫는다.

일개미는 포식자를 방어하기 위해 싸우기도 하지만 병원균에서 자신들의 집단을 보호하기 위해 집 주변 환경을 깨끗이 유지한다. 뿐만 아니라 집을 지을 때는 모든 위험 요소를 피해 안전한 곳에 짓되 빗물 같은 것에 의해 침수되는 것을 막기 위해 구멍의 위치를 높게 한다.

살던 집이 침입자들에게 노출되면 재 빨리 다른 곳으로 이사를 해 버린다.

개미는 동물이나 식물을 가리지 않고 먹는 잡식 포식자다. 좋아하는 먹이로는 진디에서 나오는 단물, 매미 목 곤충의 수액, 그리고 파인애플의 해충인 쥐똥나무벌레에서 나오는 단물이다.

먹이가 풍부하여 언제 어디서나 먹잇감을 구할 수 있는 것도 불구하고 먹잇감을 비축 해 두기도 한다. 특히 폭풍우나 추운겨울에 대비 식량을 모아 둔다.

동물의 시체는 그들에게 좋은 먹잇감이다. 풍부한 먹잇감이 지천에 널려있는 것도 불구하고 몇몇 종의 개미는 먹고 살 식량을 위해 나뭇잎을 자기 집으로 가져가서 큰 개미가 줄기를 잘게 자르고 작은 개미는 잎을 씹어 놓아 그곳에서 주름버섯이 발아되면 가장 작은 개미가 기른다. 이렇게 하여 개미는 주름버섯을 길러 먹이로 하고 주름버섯 또한 개미의 도움으로 자란다. 개미와 주름버섯은 공생한다.

주름버섯 뿐만 아니라 서로 다른 개미집단과도, 특정 식물이나 곤충 등 여러 생물종과 공생관계를 맺고 있기도 한다. 또 먹이를 얻기 위해 부전나비과 유충도 기른다. 유충을 낮에는 목초지로 이끌어 주고 밤에는 개미집단 안으로 데려간다. 유충은 개미가 만져주면 단물을 분비하는 분비샘이 있다. 이렇게 식량을 구하기 위해 농사를 짓고 다른 동물도 기른다.

개미는 자급자족을 위해 식물이나 동물을 기르고 협력과 협동정신으로 공동생활을 한다. 삶에 대한 지혜가 뛰어나다.

개미는 해충을 억제하고 토양을 섞어주는 등 인간과도 뗄 수 없는 관계를 가지고 있다. 감귤류재배에 방제기능도 갖고 있다. 큰 군대개미는 봉합수술에 쓰기도 한다. 벌어진 상처부위에 개미들을 눌러 놓아 두면 상처양쪽 가장자리를 큰 턱으로 물어 봉합한다. 그 다음 개미의 몸통을 잘라 머리와 큰 턱이 닫힌 상처부위에 남겨놓는다.

멕시코 사람들은 개미와 개미애벌레를 먹기도 한다. 또 콜롬비아에서는 아타나이비가타를, 인도, 버마, 타이에서는 푸른배짜기개미를 먹는다. 이 처럼 식용개미가 있는가 하면 해충개미도 있다.

개미는 부지런 하고 협동적이며 성실한 동물이다. 또 끈기와 인내 그리고 뛰어난 지혜는 인간들의 삶과 기업경영에 중요한 본보기가 된다. 어쩌면 지구상에 존재했었거나 존재하고 있는 동물 중에서 가장 오래됐을 것으로 보는 개미는 1억년 이상 생명을 이어왔다.

그 오랜 세월 속에 빙하기 같은 대 재앙으로 생명종이 살아남을 수가 없어 멸종되고 또 새로운 종의 생물종이 태어나고를 거듭하고 있는 가운데도 오직 개미는 살아 생명을 이어왔다. 인간도 누구나 보다 큰 성공을 위해서는 개미와 같이 살아야 한다. 끈질긴 투지로 사는 사람 또는 기업만이 살아 성공할 수 있다.

개미는 비록 지표동물로, 지표포식자로 소나 말 또는 사람의 발에 밟히고 마차 바퀴나 자동차 바퀴를 피하지 못 해 깔려 이겨져 죽는 힘없고 보잘 것 없는 미물에 불과한 곤충이지만 삶에 대한 지혜는 인간들에게 하나의 교훈을 준다.

인간들도 개미와 같이 살아야 한다. 어떤 동물이나 식물 그들 모든 생명체를 가진 생물 어느 것 하나도 목숨을 부지하고 삶을 영위營爲한다는 것, 결코 쉬운 것이 아니다. 그래서 나름대로 삶에 대한 자기들만의 탁월한 수단을 가지고 있다.

독특한 방법으로 먹잇감을 얻어 살아간다. 그런 동물들의 생존기술을 본받아 실천을 하여 남달리 크게 성공한 사람들이 있다. 멀게는 중국 청나라 때 옹정 황제에서 가깝게는 빌게이츠까지 많은 사람들이 다양한 분야에서 성공을 이루어 냈다.

• 중국 청대 옹정 황제는 '늑대' 의 기질로써 치열한 경쟁에서 살아남아 황제가 됐다.

중국 5000년 역사에 태평성세를 이룬 황제들이 있다. 그들이 곧 서한의 문경, 당나라 정관, 청나라 강건성세이다. 청나라 강건성세로는 강희, 옹정, 건륭 3대를 일컬어 말한다. 이들 5명의 황제 중 청대 옹정 황제는 14명의 형제들과 부황을 중심으로 혈투가 어느 때 보다도 치열했다. 부황이 세자를 죽이고 또 귀향을 보내고를 반복하는 가운데에서 살아남기 위해 때로는 바보처럼 행동을 하고 기회를 기다리는 인내를 보였으며, 철저한 계획을 세워 보이지 않게 실천하며, 포착한 기회는 절대로 놓치지 않는 늑대의 기질을 배워 그 기질로 철저하게 위장을 해서 황제가 됐었다.

황제가 된 후에도 증정의 역모사건 등에 개입한 정적들을 제거하기 위해 옹정 황제는 늑대로부터 생존기술을 배워 실천, 그 늑대의 기질로써 뜻을 이룬 대표적인 인물이다.

또 큰 욕망을 가진 사람은 자기의 뜻을 철저히 숨겨 상대가 간파할 수 없도록 자신의 능력과 의도를 감추면서 주의를 관찰하다 기회가 오면 즉시 행동했다.

*1720년대 러시아 여제 에카테리나 2세는 독일 출신으로

러시아 황제 표트르 3세와 결혼을 했다. 에카테리나 2세는 황제의 자리를 차지하겠다는 결심을 하고 러시아 땅에 들어가는 순간부터 러시아어를 배우기 시작했다. 그녀 는 러시아어를 배우는 동안 잠자는 시간을 아끼기 위해 맨발로 방안을 거닐며 단어를 외웠다. 공부를 하다 피로로 심한 감기에 걸리기도 했다. 감기로 30여 일 동안 사경을 헤맸다. 강한 정신력과 젊음으로 병마를 이겨냈다. 공부에 대한 집념과 노력 그리고 열정, 병마를 이겨내는 의지, 그것을 본 궁궐 안의 사람들로부터 감동과 호감을 얻었다. 감기가 났다. 그는 더욱 더 러시아어 공부는 물론 러시아문학과 어학을 열심히 했다. 궁중 내 많은 사람들과 접촉을 하며 환심을 샀다. 그리고 시어머니인 엘리자베타 2세로부터 미움을 받고 있는 이들을 자신의 편으로 만들었다.

그 다음 단계로는 러시아 국교인 그리스 정교를 믿었다. '작은 선물이 인간관계를 친밀하게 만든다'는 사실을 깨닫고 은혜를 베풀어 사람들의 마음을 사로잡았다. 돈을 미끼로 대부분 사람들의 환심을 샀다. 또 자신의 신분과 외모를 이용하여 비밀리에 애인들을 만들어 그들을 야심과 욕망의 도구로 삼았다.

결국 에카테리나 2세는 남편인 표트로 3세의 실정 그리고 러시아 귀족이 거느린 군대 중 표트로 3세에 대한 반감을 가진 자들을 이용 궁중 반란을 일으켜 남편 표트로 3세를 체포했다. 반란에 동원된 사람들은 그녀의 애인들과 친위부대 청년 장교들이었다. 그녀는 결정적인 기회가 오기 전까지는 철저하게 위장 순종하는 모습으로 일관했다. 시어머니인 엘리자베타 여제가 죽었을 때 그녀는 어느 누구보다도 비통해 했었다. 주위 사람들에게는 더 없이 너그러운 태도를 보였다. 그녀는 늘 부드러운 모습을 보여줬다.

많은 사람들의 환심을 사기 위해 말과 행동에 특별함을 보였다. 무도회와 같은 사교 장소에서는 부드러우면서도 자상한 태도를 보였다. 그녀의 측근은 물론 시종들까지 마음을 사로잡았다. 그녀는 사교에 대한 노련함 그리고 날카로운 통찰력, 아름다운 미모, 온화한 성격, 사람들의 마음을 끄는 매력을 갖추고 있었다.

또 애인들을 철저히 이용했다. 그녀는 자신의 미모와 자신을 낮추는 위선적인 겸손함으로 상대 마음을 크게 움직였다. 병사들을 전쟁터로 보내면서는 자신을 위해 반드시 승리해 달라고 감동적인 배려와 부드러움을 보이며 부탁했다. 그녀는 늑대와 같이 교활했다. 늑대와 같은 근성으로 성공한 인물 중 한 사람이다.

*세계 제일의 갑부 빌 게이츠는 '타조' 전략에 능했다.

타조는 적으로부터 공격을 받으면 큰 날개를 펼쳐 크고 위협적이고 공격적인 태도를 보인다. 또 때로는 땅에 몸을 낮춰 엎드려 몸을 숨기는 것 같은 모습을 취하거나 도망을 친다. 이렇게 허세나 속임수를 쓴다.

기업들 중에는 타조전략을 구사 성공을 이룬 기업도 있다. 큰 기업은 공세적, 과시적 타조전략으로 행동을 한다. 노름꾼들은 타조의 허세 전략을, 규모가 작은 기업들은 크게 보이는 전략을 쓴다.

빌 게이츠는 경쟁자가 나타나 장애가 되면 그 회사를 사버린다. 아니면 법원이나 내부법률부서를 이용 위협을 가한다. 일예로 빌 게이츠가 운영하는 싸이트 주소를 '마이크로' 라고 특허등록을 먼저 한 17세 소년에게 양도할 것을 권유했다.

또 협박을 했다. 그 사실을 알고 언론이 크게 보도를 했다. 언론으로부터 외압이 들어오자 관심 없다는 듯이 잠적했다. 그 후 언론이 조용해진 틈을 이용 합의를 이끌어 무너트렸다. 마치 타조가 적의 공격에 맞서 힘을 과시했다가 물러서 공격기회를 노리다 다시 공격, 결국 목적을 달성하듯 철저한 타조근성으로 성공한 사람이다.

*코뿔소는 2톤 무게의 육중한 체구로 멈추지 않고 돌격한다. 타조처럼 허세를 부리는 행동 같은 것을 하지 않고 돌격 한다. 이런 전략은 높은 위험이 뒤따른다. 실패확률이 높다. 이 전략이 가능하기 위해서는 제품이나 사람, 재

정, 절차, 기술, 마케팅전략 등이 뒷받침 되어야 한다.

코뿔소 전략을 구사 크게 성공한 기업이 있다. 패스트푸드업체 KFC를 설립, 세계적인 업체로 성장시킨 카넬 할랜드 샌더스코는 우직한 근성에 위협적인 뿔로써 상대를 공격하는 '코뿔소' 전략을 썼다.

카넬 할랜드 샌더스코는 62세 나이에 '돌격 앞으로' 를 외쳤다. 식당을 찾아다니며 자신만의 특별한 소스를 개발 12년 동안에 600개 업소를 대상으로 개척 확보했다. 그는 1980년 백혈병으로 고인이 됐지만 그가 남긴 KFC는 100여 개국 중요 도시에서 활발하게 살아 숨 쉬고 있다.

* '하이에나' 는 직접 먹잇감을 사냥하기도 하지만 다른 동물이 잡아놓은 먹잇감을 빼앗거나 먹다 남긴 것을 먹고 배를 채운다.

기업이 비즈니스에서 하이에나와 같이 다른 기업이나 사람들에게 의존적이거나 행운을 잡으려고 하는 것은 바람직하지 못하다. 하이에나 전략은 기회주의적인 것으로 자신과 직접 관련되지 않은 상황을 이용하여 이익을 챙기는 술법으로 이익을 얻는다. 그런 하이에나 전략은 짧고 교활하다. 그것은 영원히 지속되지 않는다.

버진그룹 리처드브랜슨 회장은 22세 때 레코드회사를 설립 '하이에나' 의 사냥방법으로 성공을 이루었다.

리처드브랜슨 회장은 하이에나가 먹잇감을 보면 숨 돌릴 틈을 주지 않고 거세게 몰아붙여 잔인하게 잡아 먹어치우 듯이 레코드와 관련된 분야에서 남들이 전혀 관심이 없는 '섹스피스톨스'라는 밴드를 공격 앨범을 펴내기로 계약, 수 백만 장을 제작 판매하는 등 주로 전망이 있으면서 소외 되어있는 회사를 발굴 기업사냥방식으로 투자하여 대박을 터트리는 수법으로 성공했다.

*악어는 잠행과 기습 전략을 구사하는 포식자다. 악어는 완벽한 기습을 위해 잠수상태에서 끈질기게 때를 기다린 다. 이런 잠행과 기습에 의한 악어전술은 다양한 지역과 시 장에서 어느 때고 가능하다. 특수 목적의 제품 출시는 효과 적인 잠행 및 기습 전략이 될 수 있다.

악어전략은 코뿔소 전략과 같은 힘에 의한 전략이 아니 라 늑대전략과 같은 계략을 이용한 전략이다.

영국 최고 갑부 중 한 사람으로 영국 의류업계 매출 10% 이상을 장악하고 있는 필립 그린은 '악어'가 죽은 듯이 있 다가 먹잇감이 가까이 다가오면 기습적으로 낚아채 포획하 는 전략으로 시장을 공략 성공을 이루었다.

필립 그린 회장은 10대 때 2만 파운드를 대출받아 의류사 업을 시작, 악어 전략으로 27세에 디자이너의류매장 10여 곳을 장악했다. 그 후 도산 위기를 맞은 '진지니'를 사냥

기업을 본격적으로 키운 뒤 크게 차익을 남기고 '리쿠퍼'에 매각했다. 또 악어가 먹잇감을 노리고 잠적했다 먹잇감이 가까이 오면 기습을 하여 낚아채 듯 경영이 어렵게 보인 '올림푸스'를 기습적으로 매입 투자를 늘려 외형을 키운 뒤 매각 차익을 얻었다. 이와 같이 계속 기업사냥을 해서 매각하는 방법으로 많은 돈을 벌었다.

필립 그린 회장은 악어가 먹잇감에 몰래 다가가 기습적으로 낚아채는 수법으로 기업을 경영 영국의 최고 갑부가 됐다.

이와 같이 타조전략의 빌 게이츠, 코뿔소 전략가 카넬 할랜드 샌더스코, 하이에나 전법의 리처드브랜슨, 악어 수법의 필립 그린, 그리고 철저한 늑대근성으로 성공한 옹정 등을 볼 수 있다. 그들 중 늑대근성인 예리한 통찰력, 강인한 성취욕, 협동과 희생정신 그리고 교활한 심리전으로 태평성세를 이룬 옹정 이야기를 중심으로 성공한 사람들을 살펴보았다.

독자들이 이 책을 통해 복잡 다양한 세상을 살아가는데 조금이라도 도움이 되는 지혜를 얻을 수 있었으면 하는 바람이다. 그렇게 될 것으로 믿는다. 다만 한 가지 더 바란다면 뻐꾸기나 쥐처럼 살지 말아야 한다는 것이다.

뻐꾸기는 자기 스스로 해야 할 일도 하지 않고 다른 동물에 얹혀서 기생충처럼 산다. 혹자는 그것도 삶의 한 수단으로써 현명한 삶이라고 그를 본받아 살아야 한다고 하겠지만 그것은 성공한 사람의 바람직한 삶의 태도는 아니다.

뻐꾸기는 알을 남의 둥지에 낳는다. 그리고 돌아 본 척도 하지 않는다. 어미는 알을 낳아주는 것으로 끝이다. 남의 둥지에서 알껍데기를 뚫고 태어난 새끼는 둥지 주인이 낳은 알 또는 새끼를 둥지 밖으로 밀어 떨어뜨리고 둥지를 독차지 어미가 물어오는 먹이를 먹고 자란다. 어느 정도 자라면 둥지를 떠난다.

또 쥐란 놈은 먹고 살기 위해 노력하지 않고 사람들이 먹을 음식이나 식량을 훔쳐 먹고 산다. 그런 뻐꾸기나 쥐처럼 살아서는 안 된다. 스스로 노력하지 않고 기생충처럼 사는 사람, 직원들에게 정당하고 적절한 임금을 지불하지 않고 노동력이나 착취하는 사람 그런 기업이 돼서는 안 된다. 그런 사람, 그런 기업은 절대로 성공 못 한다. 그것은 성공을 위한 수단이 아니다.

늑대의 근성은 성공의 지름길

1960년대까지 한반도 산악지대에서 늑대를 쉽게 볼 수 있었다. 그런 늑대가 1968년 포획된 것을 마지막으로 야생 늑대를 보았다는 사람이 없다. 이제 우리나라에서는 동물원에나 가야 볼 수 있는 희귀한 동물로 되었다.

늑대는 개과에 속하는 동물로 생김새가 개와 흡사해서 구별이 만만치 않다. 새끼를 12월에서 이듬해 4월까지 사이에 낳는다. 임신 기간 63일을 거쳐 적게는 4마리에서 많게는 14마리까지 낳는다. 새끼들은 어미 무리와 함께 살다 2~3년이 지난 뒤 완전히 성장하면 무리를 떠나 또 다른 집단을 형성해서 산다.

생활력이 강하여 어느 곳에서나 잘 적응한다. 유라시아나 북아메리카 등 세계 각 지역의 들이나 산림지역에서 살며 야생동물을 잡아먹는다. 18세기 이후 산업화가 진행되는 과정에서 임야가 개발 훼손되면서 목초지가 줄어지고 초식동물들의 개체가 하나 둘 살아지거나 그 수가 적어지면서 늑대 먹이인 토끼나 산양이 빠른 속도로 없어져 결국 야생늑대도 멸종위기를 맡고 있다.

그동안 지구에는 헤아릴 수 없을 만큼 많은 생물 종들이 존재했다. 지금 또한 헤아릴 수 없는 종이 생존하고 있다. 존재하는 어느 것 하나도 특별하지 않으며 소중하지 않는 것이 없다. 그들 중 특히 늑대는 그들만이 가지고 있는 독특한 속성이 있으며, 행동 또한 특이하다.

그래서 엉뚱한 사람, 엉큼한 사람을 가리켜 늑대 같은 사람이라고 하기도 한다. 늑대는 종도 다양하지만 크기도 달라 몸무게 25kg, 몸길이 0.6m 밖에 안되는 작은 놈이 있는가 하면 큰 놈은 65kg, 몸길이 2m가 되는 놈도 있다.

또 사는 지역에 따라 생김새가 약간씩 다르다. 알래스카에서 미국 북부 초원지역에 이르는 곳까지 사는 종들은 머리가 넓적하고 다리는 건장하고 길며, 우람하나 어깨가 좁게 생겼다. 또 다른 종에 비해 힘이 세다.

늑대는 달릴 때 꼬리를 높이 치켜든다. 몸집은 수컷보다 암컷이 더 작다. 털 색깔은 갈색, 적색, 흑색 또는 흰색으로 다양하다. 그들은 암·수컷이 짝을 짓고 일생을 산다. 늑대는 영리해서 집단을 형성, 무리들이 협력을 하며 공동생활을 한다. 먹이로는 쥐나 토끼, 새 등 다양한 동물들을 먹고 사는 육식동물이다. 특히 사슴 말코손바닥사슴, 순록 등을 포식하며 털과 뼈만 약간 남기고 깨끗이 먹어치울 정도로 식욕이 왕성한 포식자다. 순록 같은 덩치가 큰 초식동물을 사냥하여 숫자를 조절하고 생존에 적합하지 못한 개체들을 제거하는 역할도 한다.

야생먹잇감을 구하지 못하면 들이나 마을로 내려와 닭이나 집토끼 등 가축을 공격 잡아먹기도 한다.

캄캄한 밤에 마을 주변을 맴돌며 으슥한 곳에서 사람을 만나면 공격을 하기도 한다. 때로는 눈이 하얗게 쌓인 달빛 아래 목을 길게 빼고 으스스한 울음을 우는 음흉하고 흉악한 행동도 한다. 또 아이를 물어가고 양을 잡아먹는 잔인하고 교활한 짓도 한다. 교활하고 못된 짓을 하는 사람을 가리켜 늑대 같은 사람이라고도 한다.

또 늑대는 예민한 후각을 가졌다. 그 예민한 후각으로 멀게는 24km나 떨어진 곳에 있는 먹잇감의 냄새를 맡을 수도 있다. 또 용맹스럽고 끈질기게 사냥감을 공격한다. 위기탈출 기지奇智와 특유의 교활함을 발휘 사냥감을 놓치지 않는다.

늑대 떼는 먹잇감을 사냥할 때 공격기회를 노린다. 며칠씩 감시와 관찰을 한다. 감시를 하는 동안 피곤함이나 싫증 난 기색을 조금도 드러내지 않으며 쓸데없이 사냥감을 ◎거나 괴롭히지도 않는다. 적절한 공격기회를 잡기 위해서는 아사직전까지도 기다린다. 또 상처를 입어 약해 보인 놈이나 새끼 아니면 늙은 놈을 우선 공격대상으로 하여 한 마리를 선택 집중 공격한다. 덩치가 큰 순록은 지쳐 쓰러질 때까지 쫓는다.

늑대의 뛰어난 점은 목표물 중 약한 놈을 판별해 내는 능력이다. 그들은 끈기 있게 전력을 다해 사냥감의 특징을 파악해 낸다. 그리고 사냥감을 무리에서 떼어 공격을 한다. 결국 늑대가 사냥에서 성공한 것은 끈기의 대가다.

늑대는 기아상태는 물론이고 배가 불러도 먹잇감을 발견하면 죽을 힘을 다해 쫓아 잔인하게 죽이는 속성이 있다. 사자가 먹고 남긴 것을 취하기도 하고 먹지 않더라도 토끼, 다람쥐 등을 물어뜯어 죽이기도 한다.

며칠을 굶주리면 작은 짐승을 잡아먹고 그러고도 배가 덜 차면 동족도 잡아 먹는다.

'나무 밑둥을 치기 위해서는 가지부터 잘라 내야 한다.' '개를 때리려면 개 주인의 눈치를 본다' 라는 말이 있다. 늑대는 사냥을 할 때 나무밑둥을 치기 위해 가지를 자르듯이 무리 중에서 공격대상을 정하여 떼어낸 다음 집중공격을 한다. 또 개를 때리기 위해 개 주인의 눈치를 보듯이 공격대상 동물이 달아날 곳을 살펴 미리 차단한다. 늑대들은 효율적인 사냥을 위해서 작전을 구사한다.

대장늑대는 사냥할 때 무리를 모리조, 매복조, 그리고 퇴로를 차단하는 차단조로 편성 작전을 세운다. 준비가 완료되면 공격명령을 한다. 이렇게 하여 사냥감을 포위 그 망을 좁혀가며 끈질기게 추격을 감행한다.

늑대는 크고 작은 동물을 가리지 않고 사냥하여 먹잇감으로 한다. 몇날 며칠 먹이를 구하지 못해 굶으면 다른 늑대도 잡아먹는다.

또 늑대는 사람 뒤를 계속 따라 다니다 결정적인 순간에 공격을 시작 무리가 포위 정신을 교란시켜 혼을 뺀다. 정신을 잃고 쓰러지면 덤벼 물어 죽인다.

사냥할 땐 경제적인 수단으로 한다. 인간들 못지 않게 지혜롭게 한다. 죽은 시체는 뼈만 남기고 고스란히 먹어치운다. 때로는 먹다 남은 뼈와 머리 등을 흙속에 묻어 두기도 한다. 늑대는 협동심이 강해서 단결이 잘 된다.

그리고 무리는 위계질서에 따라 행동한다. 사냥한 먹잇감을 먹을 때도 싸우지 않고 서열을 지켜 양보를 하고 자신의 차례를 기다린다. 만약 위계질서가 정해지지 않는 상태는 치열한 다툼을 벌려 서열을 정한다.

새로 우두머리가 결정되고 서열이 정해지면 우두머리의 명령에 철저히 따른다. 충성과 협력으로 질서를 유지한다. 협동과 단합은 늑대의 탁월한 근성 중에 근성이다.

인간들은 늑대와는 달리 이기적이다. 특별한 경우가 아니고는 협동과 단합은 기대할 수 없다. 인간은 욕심 때문에 협동도 단결도 쉽지 않다. 한정된 재물을 놓고 다툼을 한다. 삶의 순간순간이 치열한 경쟁이다. 그런 치열한 경쟁을 이겨내야 한다. 이겨내기 위해서는 늑대의 근성 같은 것이 필요하다.

늑대의 근성으로는
*예민한 통찰력으로 기회포착능력이 뛰어나다.
*목적을 달성하기 전까지는 결코 포기하지 않는 끈기가 있다.
*항상 무리로 움직이며 적과 싸우는 협동심이 강하다.
*무리를 위해서 개체가 희생할 줄 안다.

위 네 가지 근성 외에도 절대 절명의 위기 앞에서도 위축되지 않고 당당하다. 또 구속된 생활을 거부한다. 때로는 죽음도 불사한다. 인간들에 의해 길 드려지지 않고 야성을 잃지 않는 유일한 동물이다. 그런 동물에게도 예외적인 경우가 있다.

프랑스 출신 피아니스트 엘렌 그리모 양은 야성적인 성격을 지녔다. 그녀는 인간의 능력으로 길들일 수 없다는 늑대와 함께 산다.

1999년 그녀가 미국으로 이주하여 살고 있을 때 있었던 일이다. 한적한 교외 도로에서 심한 상처를 입고 쓰러져 있는 늑대를 발견했다. 그 늑대가 갑자기 달려들어 품에 안겼다. 그 순간 무섭기도 했지만 그녀는 늑대를 데리고 가 치료를 해서 살렸다.

그날 이후 그 늑대와 함께 살고 있다. 그녀는 그 늑대와 함께 생활을 하면서 성격도, 하는 행동도 변했다. 동물 애호가로, 늑대보호가로, 삶이 달라졌다. 그녀는 여행 할 때도 늑대를 데리고 간다. 그녀는 늑대 때문에 "길 드러지지 않은 야성의 생명력을 처음 느꼈다고 했다. 늘 반복되는 일로 잠시 쉴 수 있는 여유가 없이 항상 짜여 있는 연주생활에 지쳐 있던 내게 자유와 원시 에너지를 불어 넣어 줬죠"라고 말했다. 그는 늑대를 통해 심신을 회복했다. 또 늑대를 키우는 피아니스트라는 별명도 얻었다.

엘렌 그리모 양은 "늑대의 풍성한 털 속에 두 손을 깊숙하게 찔러 넣었을 때 늑대가 내 귀를 가볍게 깨물고, 함께 달릴 적엔 야성적이고 창의적인 여자가 된 기분"이라고 말했다.

그녀는 늑대를 애호하는 마음이 그 무엇보다도 크다. 행동 또한 늑대를 닮았다. 성격도 늑대근성을 닮았다. 늑대의 근성으로 성공을 일궈냈다.

늑대는 다른 동물에서는 보기 드문 또 다른 특성이 있다. 그런 특성으로는 반드시 집단 내에서는 서열이 있다. 서열을 정하기 위해 암컷은 암컷들끼리 수컷은 수컷들끼리 또 암컷과 수컷 간에 목숨을 건 치열한 혈투를 벌인다.

싸우다가 심한 상처를 입고 죽기도 한다. 혈투결과 가장 강한 암컷만이 수컷을 선택하여 교미를 한다. 우두머리 다툼에는 생사가 걸려 있다. 특히 발정기가 되면 암컷이 수컷보다 더 공격적이다.

가장 높은 지위의 암컷만이 새끼를 낳을 수 있다. 그리고 다른 늑대들의 짝짓기를 감독 통제한다. 우두머리 암컷의 승낙 없이 수컷이나 암컷들 간에 서로 접근해서는 안 된다. 우두머리 암컷의 지시에 따르지 않고 서로 접근 교미를 했다가는 암컷은 물론 수컷도 가만 두지 않는다. 심한 경우 물어 죽인다. 우두머리 암컷이 낳아 놓은 새끼는 무리 떼 모두가 합동으로 기른다.

생식 능력을 잃은 노쇠한 우두머리 암컷 늑대는 무리를 떠나야 한다. 떠나지 않은 날에는 물어죽이기도 한다. 노쇠한 암컷 우두머리는 비참한 최후의 날을 맞는다. 젊은 날에 화려했던 말로는 그렇게 종지부를 찍는다.

우두머리가 없는 때에는 협동정신도 희생정신도 없다. 오직 서열싸움에 무리전체가 싸움터로 변한다. 우두머리가 되기 위한 암컷들 간에 벌어지는 혈투로 아수라장이 된다. 또 수컷들도 새 우두머리 암컷에 선택되기 위해 수컷들 끼리 암암리에 피비린내 나는 싸움을 한다. 싸움에서 패하면 무리들의 먹이가 되기도 한다.

나쁜 때가 있으면 좋은 때도 있고, 좋은 때가 있으면 나쁜 때도 있는 법. 세상은 들고 나는 법칙에 따라 돌아가고 그것에 순응하여 살 수 밖에 없다.

밝은 달이 뜨는 한가위가 지난 뒤 뜨는 달은 밝지 않고, 청명을 지나 피는 꽃은 아름답지 않다.

인생사는 것 또한 매사가 그렇다. 달밤에 꽃밭을 거닐며 크게 노래하고 금잔에 술을 채워 마시는 것, 또한 길게 보면 영원하지 않고 찰나에 불과한 것을, 그래도 인간들은 그것이 좋아 권력과 재력을 쫓아 쉴 새 없이 앞으로 내 달린다. 늑대처럼 근성을 갖고 살아야 한다. 무능하여 누군가에게 밟히지 않기 위해서는 늑대의 근성으로 매사에 충실해야 한다.

늑대 무리들은 자기들의 세력권 내에 들어오는 침입자를 막기 위해 자신들의 영역경계에 수시로 오줌을 눠 다른 동물들에게 알린다. 그리고 자신들의 영역을 수시로 순찰 침입자를 발견하면 즉시 무리 전체가 힘을 합해 공격을 한다.

그러나 되도록 다른 무리들과 충돌을 피하기 위해 세력권이 미치는 곳, 경계 사이에 완충지대도 정해둔다. 특별한 경우가 아니면 타 무리들의 영역을 침범하지 않는다.

인간이 사는 세상은 한시도 방관할 수 없다. 살아 있는 동안 치열한 경쟁을 해야 한다. 치열한 경쟁을 뚫고 다른 기업이나 사람들에 비해 보다 성공하기 위해서는 늑대의 근성이 필요하다.

늑대는 예리한 통찰력으로 사물에 접근 판단을 하되, 아니다 싶으면 신속하게 단념 새로운 작전을 세워 결국 뜻을 이루어 낸다. 적의 침입을 받아 싸울 때 또한 같다. 신속하게 물러서 완전한 공격태세를 갖춘다.

지난 일에 대한 미련을 갖지 않고 곧 잊어버린다. 그리고 새로운 먹잇감을 찾아 나선다. 먹잇감을 못 찾으면 찾을 때까지 기다린다. 늑대는 전술을 구사한다. 계략에 능할 뿐만 아니라 목적을 위해 끊임없이 전략을 바꾼다.

때로는 복잡한 전술로 먹잇감을 획득한다. 기업이나 개인이나 순간적인 판단이, 사물을 바라보는 통찰력이, 기회의 접근이 그리고 결정과 실천이 중요하다는 것을 깊이 인식해야 한다. 그런 능력을 갖추지 않고는 크게 성공할 수 없다.

삶속에 그런 속성, 근성이 꼭 필요하다. 특히 기업가에게는 필요충분조건이다.

여기 예리한 관찰력과 적절한 기회포착, 끈기와 인내, 강한 희생정신 등 철저한 늑대의 근성으로 무장된 산악인들이 있다.

네팔과 중국의 국경지대 히말리아산맥에 있는 해발 8,848m 높이의 에베레스트산 정상 등정을 1920년 첫 시도, 그 후 33년 동안 수백 번의 실패 끝에 1953년 5월 29일 뉴질랜드 양봉가 에드먼드 힐러리가 최초로 정상에 올랐다.

우리나라에서는 고상돈이 최초 정상등정에 성공했으며, 여자는 지현옥이 해발 8,000m 이상 무 산소 14좌 중 11좌를 등정했으며, 오은선이 세계 최초로 13좌를 등정했다. 또 세계 최초 14개 봉 등정을 하다 실패한 고미영씨도 있다.

매년 수십 명에 달하는 산악인들이 히말리아산맥 곳곳에서 죽음을 맞는다. 해발 8,000m 이상 고산지대에서는 산소의 절대량 부족으로 앉았다 서기도 힘이 든다. 그 고통을 견디며 장시간 한 발작 한 발작 옮겨야 한다.

에베레스트산 정상 도전을 시작한 후 지금까지 정상 도전 100명당 2명꼴로 목숨을 잃었다. 한번 도전하는데 소요되는 기간은 20일에서 30여 일을 잡아야 한다. 등정 중 옆에서 동료가 쓰러지고, 동상에 발가락이 떨어져 나가도, 또 크레바스가 호시탐탐 목숨을 노려도, 오르고 또 오른다. 포기할 줄 모르는 끈질긴 늑대의 근성을 지니지 않고서는 등정에 성공할 수 없다.

산악인들 사이에서는 고도 8,000m 이상 14좌는 '죽음의 지대' 라고 부른다. 그래서 히말리아 14좌 등정 역사는 죽음의 역사다고도 한다.

비공식 통계에 의하면 그 동안 히말리아산맥의 에베레스트산 등정에서 성공한 사람이 300여 명이고 목숨을 잃은 사람도 77명이나 된다.

에베레스트산 등정의 역사를 죽음의 역사라고 하듯 어떠

한 경우도 목표를 정하여 성공한다는 것 결코 쉽지 않다.

또 이탈리아 출신 스페인 사람 콜럼버스는 서쪽 멀리에 미지의 세계가 있을 거라 믿고 1451년 스페인 정부의 지원을 받아 항해에 나섰다. 새로운 지역에서 얻어지는 모든 것 중 10%는 콜럼버스가 갖고 또 그 지역과 교역활동에 대해 최고 8분의 1에 해당하는 자본 참가권을 국가로부터 보장받았다. 그리고 판손 3형제의 협력을 얻어 항해에 나섰다.

산타마리아호, 판타호, 니니호 등 배 세 척에 120명의 승무원을 태우고 70여 일만에 '구마나히니' 라고 부르는 바하마 제도 한 섬에 도착했다.

항해 중 배 한 척이 난파 돼 스페인으로 돌아갔다. 그리고 다시 도전을 했다. 이제 17척 배에 1,500명에 달하는 승무원을 승선시켜 항해에 나섰다. 그 때는 금광채굴에 동원됐던 원주민들의 반발이 있어 반발하는 원주민들을 데리고 스페인으로 돌아갔다. 콜럼버스는 세 번째 항해도 실패했다. 계속된 실패에도 불구하고 콜럼버스는 도전을 거듭하여 결국 신대륙을 발견했다.

꺾일 줄 모르는 늑대의 근성과 같은 끈기와 인내로 그는 성공을 했다.

성공한 사람들에게는 반드시 보이지 않는 늑대의 근성이 있다. 끈기와 인내 그리고 도전정신이 있다. 또 구속되기를 싫어한다. 우리 같은 틀 속에 갇혀있는 것을 싫어한다. 동물원의 철조망 같은 것을 물어 뜯고 또 담장을 뛰어 넘어 탈출을 하려는 늑대처럼 무엇인가를 향해 기존 틀을 깨고 생각하고 뛴다.

늑대는 조련사들도 길들이지 못한다. 그래서 세계에는 수많은 서커스단이 있어도 늑대가 서커스에 등장하는 적이 없다.

늑대는 절대 절명의 위기 앞에서도 위축되지 않고 자유를 위해 죽음도 불사할 정도로 '길 들이지 못하는 야성'을 잃지 않는 동물이다.

인간도 성공을 위해서는 늑대와 같은 끈기와 인내 그리고 실패 앞에서도 절망할 줄 모르고 꿋꿋이 자신의 본능을 지키며 실천하는 정신이 필요하다.

중국 청나라 강희제 황제는 왕자들을 데리고 늑대 사냥을 갔다. 늑대의 근성을 가르치기 위해 매년 가을이면 늑대가 많이 서식하고 있는 내륙 깊숙한 산악지역으로 왕자들과 함께 가서 사냥을 했다.

14명의 왕자 중 죽은 왕자를 빼고 살아 있는 왕자들 그리고 손자들까지도 데리고 사냥을 다녔다.

옹정은 사냥을 하면서 늑대의 교활함과 끈질긴 속성을 깨달았다. 또 기회포착을 위해 예민한 통찰력을 길렀다. 목표를 달성하기 전까지는 결코 포기하지 않는 끈기와 인내를 길렀다. 혼자의 능력보다는 다수가 협력과 단결 합동으로 했을 때 효율성과 성공확률이 높다는 것을 깨달았다. 또 무리를 위해서는 개체의 희생도 필요하다는 것을 알았다.

늑대의 근성을 보고 이 같은 것들을 알았다. 그리고 실천했다. 옹정은 교활함도 지녔으나 철저히 은폐했다. 예민한 통찰력으로 기회포착을 위해 호시탐탐 때를 노렸다. 때로는 바보처럼, 때로는 정신병자처럼 하면서 강희제 부황에게는 효성도, 충성심도 보이는데 최선을 다 했다.

황제의 꿈은 그만두고 왕의 자리도 탐내지 않은 무능한 자로 보여 형제들로부터 경계심을 없앴다. 그러면서 내심으로는 황제의 길을 가는데 한 시도 소홀하지 않았다.

또 보이지 않게 유능한 주위사람들을 끓어 모았다. 그러기 위해 자기희생을 감수했다. 그리고 때를 기다렸다. 기회포착을 위해 긴장을 늦추지 않았다. 그는 무리 없이 황제가 됐다.

황제가 된 뒤로 정적을 제거하는데도 표시나지 않게 대하며 많은 세월을 두고 때를 기다려 주위의 동요가 없도록 적절한 기회를 포착 단행했다.

철저한 늑대의 근성으로 태평성세를 이룬 황제로 성공했다. 잔혹한 경쟁에서 살아남기 위해서는 늑대처럼 필사적으로 기회를 만들고 용맹하게 싸우면서 굴복하지 않아야 한다. 그렇게 했을 때 반드시 성공을 이룰 수 있다.

옹정 황제는 적통을 탈취하고 동생을 죽이고 자신의 욕

정을 달성했다.

결국 성공을 위해서 또 세상을 움직이기 위해서는 늘대처럼 잔인해야 한다.

늘대의 기질로 무장하여 세상을 바라보면 오묘하고 변화무쌍한 세상을 깨닫고 성공의 열쇠는 눈앞에 있다는 사실을 발견하게 됐다.

그러나 인간들은 물욕과 권력에 대한 욕심이 지나치게 과하다. 지나친 욕심을 만족시키는 성공에 앞서 참된 인간이 돼야 한다는 것을 가르친다.

선과 악의 사이에서 악 아닌 선을 위한 인간됨을 가르친다.

그래서 유치원에서 선생들은
*양처럼 말을 잘 듣고
*토끼처럼 온순하고
*새처럼 타인에게 의지하고
*고양이처럼 품 안으로 파고들고
*개처럼 맹종하라고 가르친다.

유치원 선생들이 원아들을 가르치면서 개처럼 맹종하라고 했다. 늘대도 개과요, 개 또한 개과다. 또 생김새는 구분하기 어려울 정도로 닮았다. 그런데 늘대는 개성이 뚜렷하고 근성이 변할 줄 모르는 독특한 고집, 속성이 있다. 또 야성을 잃지 않고 길 들려지지 않는다. 어떤 경우도 본성을 잃지 않는다. 그러나 개는 반대다. 주인에게 맹종하는 대표적인 동물이다.

태국 방콕이나 파타야의 도심 거리에는 들개가 무리를 지어 다닌다. 많은 무리는 30~40마리씩 떼를 지어 돌아다닌다. 귀가 떨어져 나가고 없는 놈, 얼굴이 할퀴고 찢어져 상처투성인 놈, 다리를 절뚝이고 꼬리가 잘려나간 놈, 가지각색이다. 그런가 하면 홀로 떨어져 온몸에 상처를 입고 양지바른 담장 밑이나 나무 그늘에서 웅크린 채 눈을 감고 죽어가는 모습을 하고 있는 놈이 있다.

그 놈은 집을 나온 지 얼마 안 된 외톨이 개다. 그 곳을 영역으로 사는 개떼들에게 발각되어 공격을 받아 물렸다. 들개가 떼를 지어 사는 것, 적을 공격할 때 무리가 단합 공격하는 것, 또 서열에 따라 지휘통제를 받고 위계질서에 의해 생활하는 것들은 늑대와 다를 바 없다.

그러나 대부분 가정에서 기르는 개는 집을 지켜주고 때로는 주인을 보호해 주기도 한다. 낯선 외부인이 집안으로 들어오는 것을 막아 준다. 주인이 다른 사람과 다툼이라도 하면 그 사람에게 덤벼 위협을 가하기도 하고 때로는 물고 뜯는다. 영리하고 길들어진 놈은 심부름도 해 준다. 맹견은 주인의 길 안내도 해 준다.

산골마을 외딴집에 젖먹이 어린애와 부부가 살았다. 밤이면 산 짐승도 무섭고 낮이면 집을 지키도록 하기위해 개 한 마리를 키웠다. 낮이면 두 부부가 아랫마을에 가서 품을 팔았다. 그 삯으로 먹고 살았다. 낮에 일 갈 때는 어린아이를 방안에 재워놓고 문을 닫아 자물쇠를 걸어 놓았다.

하루는 남편이 멀리 일 나가고 없었다. 부인은 동네사람 집에 품팔이를 가서 밭일을 하다 점심 때가 돼서 아이 젖을 먹이려고 집에 들렀다.

사립문을 열고 집안으로 들어서자 부엌문 앞에 앉아 있던 개가 벌떡 일어나 달려오는데 개 얼굴이 할퀴고 피로 범벅 돼 있었다. 그 순간 방 쪽을 바라보자 방문이 부서지고 찢겨 있었다. 방안을 들여다 보니 어린아이도, 아이를 덮어준 포대기도 없어져 버렸다.

어린애는 없고 개 얼굴과 입가에 피가 범벅 돼 있는 것이 틀림없이 개란 놈이 어린아이를 죽여 먹었구나 하는 생각이 들어 마당 한 쪽에 있는 쇠스랑을 들어 정신없이 내리쳤다. 쇠스랑에 맞은 개는 소리 한 마디 지르지 못하고 즉석에서 죽었다.

넋이 나가 마당에 서 있는데 부엌 쪽에서 어린아이울음 소리가 희미하게 들렸다. 그 소리를 듣고 부엌으로 황급히 들어갔다. 부엌에는 늑대 한 마리가 죽어 있었다. 그리고 한 쪽 구석에 어린아이가 포대기에 싸진 체 있었다. 어린아이는 상처 입은 곳 하나 없이 아무렇지도 않았다.

부엌에 죽어 있는 늑대는 얼굴이 할퀴고 목덜미에서 피가 흐르고 있었다. 늑대가 어린아이를 물고 가는 것을 보고 늑대에게 덤벼 싸워서 늑대를 죽이고 어린아이를 안전한 곳으로 옮겨놓고 있었다. 부인은 그것도 모르고 개가 어린아이를 물어죽이고 있는 것으로 속단하고 때려죽였다.

부인은 죽어 있는 늑대를 보고, 아이가 안전하게 살아 있는 것을 보고 개를 때려죽인 것을 후회했으나 개는 이미 죽고 없었다. 신중하지 못하고 경솔한 행동을 한 것 후회해본들 소용이 없는 일이었다. 이렇듯 주인에 대한 개의 맹종은 특별하다.

늑대는 어떤 동물보다도 이기적인 동물이다. 인간이 이기적인 동물을 닮아서는 안 된다. 그러나 예리한 통찰력으로 사물을 관찰 기회를 포착하는 능력, 인내와 끈기, 포기할 줄 모르는 추진력, 협동과 희생정신 등 근성을 가지고 그것을 실천했을 때 비로소 성공할 수 있다.

치열한 경쟁에서 살아남고, 보다 성공하기 위해서는 자신의 능력과 야심을 드러내지 않는 것이 매우 중요하다. 그리고 능력과 야심을 감추면서 주변을 관찰하다 기회가 왔을 때 움직여야 한다. 그러기 위해서는 목적을 달성하기 전에는 우선 상대방과의 심리전에서 이겨야 한다.

늑대들의 세계는 어떤 감정도 개입되지 않는다. 늑대는

절대로 눈물을 흘리지 않는다. 모든 행동은 오로지 생존만을 목적으로 한다. 늑대는 매사에 세심한 태도를 보인다.

빙판을 건널 때 안전을 위해 앞으로 몇 걸음가다 한 두발 물러서서 주위를 살피고 다시 전진한다. 얼음이 깨지지 않을 거라 확신이 들면 용기를 내서 몸을 훌쩍 솟구쳐 건너편으로 뛰어간다.

먹이사냥에서 반복되는 좌절은 늑대를 끈질기게 먹잇감과 싸우게 하고 실패를 두려워하지 않게 만들었다.

실패를 해도 늑대들은 약해지지 않고 새롭게 정신 무장을 하여 사냥에 나선다. 그들은 경험으로 얻은 사냥기술을 활용하여 새롭게 먹이를 찾아 나선다.

인간들의 목적은 자신이 세운 목표를 달성하는 것이다. 그 성공을 위해서는 상대에게 환심을 사야한다.

압력이나 강압에 의한 복종이 마음에서 울어난 복종보다 나을 수 없다. 그래서 환심을 사는 것이 더 났다.

실패를 두려워하지 않는 늑대의 모습이 인간에게 주는 교훈은 '좌절과 실패에 맞서 그것을 성공으로 향한다' 라는 것이다.

창업과 성공에는 순조롭고 쉬운 순간과 어려운 시기가 공존한다. 실패와 성공은 같은 가치를 갖는다.

늑대가 지구상에서 존재하는 기간은 1백만 년이 넘는다. 사냥, 독살, 덫에 걸려죽고, 비행기나 핼리곱더에서 강력한 무기로 공격을 당하고도 늑대는 멸종되지 않았다. 인간이 늑대 서식지를 파괴, 그들의 먹이인 아메리카대륙의 버펄로, 사향노루, 순록 등이 점차 사라져 버렸다. 그러나 늑대는 여전히 생존해 있다.

어떤 경우도 살아남기만 하면 기회가 찾아 온다. 그러므로 실패에 좌절하거나 두려워하지 말라.

액운은 사람을 강인하게 만들며, 이는 성공하기 위해 필요한 덕목이다. 행운 속에 두려움이 없지 않으며, 액운 속에 희망이 없는 것도 아니다.

늑대의 속성에 정통한 사람은 위기에 처했을 때 수레를 버려 장수를 보호하는 이치를 알고 있었다.

위기에 처했을 때 동료를 희생하여 자신을 보호하는 것은 위기의 극단에서 취할 수 있는 수단이다.

'독하지 않으면 대장부가 아니다' 라는 속설이 있다. '세월을 초월한 인간은 없는 법이다' 라는 말도 있다. 보다 큰 성공을 위해서는 세월을 중요하게 여겨야 하고 끈기와 인내로써 늑대처럼 살아야 한다.

이어서 전개되는 이야기들은 성공한 사람들 또는 기업들이 겪은 경험담들이다. 그들은 어떻게 성공했는가를? 그들을 살펴보고 당신은 어떻게 살 것인가. 자문해 보기 바란다. 그리고 보다 보람된 성공을 하기 바란다.

지금 당신에게 뛰어난 지혜가 필요하다

성공하기 위해서는 많은 지식이 필요하다. 그러나 아무리 지식이 많다고 하더라도 그것만으로는 힘이 되지 않는다.

지식의 효과는 실제 어떤 일에 적용했을 때 나타난다. 지식은 사고를 키우는데 밑 걸음이 되고 지혜의 원천이 된다.

영국의 철학자 베이컨은 '지식은 힘이다' 라고 했다. 세간에는 유식한 사람과 무식한 사람이 있다.

유식한 사람일수록 권력의 중심에서 많은 사람들을 지배하고 또 보다 많은 재물을 소유한다. 물론 예외적인 경우도 있긴 하지만 대부분은 그렇다. 소유한 권력과 재물이 곧 힘이다.

힘이 되는 지식은 책을 통해서, 배움이라는 수단을 통해서 얻어진다.

미국의 경영학자 드러커는 "지식은 책 안에 있을 때는 아무런 도움이 되지 않는다. 책에는 단지 정보가 실려 있을 뿐이다. 지식은 특정한 일을 달성하는데 응용하는 능력이다. 그것은 인간의 두뇌와 기술에서만 나타난다"라고 했다.

드러커의 말대로라면 지식은 책을 통해서 전해지는 정보에 지나지 않는다. 또 지식은 그 책을 통해서 얻어지는 정보를 특정한 일을 달성하는데 응용하는 능력으로 인간의 두뇌와 기술에서만이 나타난다. 그러나 지혜는 책 등을 통해 얻어지는 지식이나 실제 체험으로부터 얻어진다.

지혜는 사물의 도리나 선악 따위를 잘 분별하는 마음의 작용, 슬기다. 또 지식은 가르치고 배울 수 있다. 그러나 지혜는 가르치고 배울 수 있는 것이 아니다. 지혜는 스스로 깨달아야만 한다.

프랑스의 철학자 파스칼은 '지혜는 지식보다 뛰어나다'라고 했다. 지혜를 터득하고 그것을 실제 일에 적용할 수 있었을 때 드디어 창조적이며, 융통성 있게 일을 해낼 수 있다.

지혜는 베이컨이 말 했던 '지식이 힘이다'라고 한 것보다도 그대로 '힘이 되고 그 힘은 갈고 닦을수록 더욱더 효력이 커진다'라고 했다.

늑대가 행동하기 전에 예리한 통찰력으로 사물을 꿰뚫어

보고 치밀한 계획을 세워 협동정신으로 사냥감을 포획하듯이 인간도 성공하기 위해서는, 목적을 달성하기 위해서는, 행동하기 전에 깊이 통찰하여 세심한 계획을 수립, 늑대처럼 실천해야 한다. 그러기 위해서는 지식보다는 지혜가 필요하다.

슬기로운 지혜가 곧 성공의 밑 걸음이다

1813년 독일에서 태어난 작곡가 바그너는 자신의 오페라를 보는 관객들이 공연 중에 자리를 떠나지 못 하도록 하기 위해 공연장 안 객석 사이의 세로 통로를 없앴다. 또 관객이 무대에 집중하도록 하기 위해 객석 조명을 껐다. 늦게 들어오는 관객에게 스포트라이트를 비춰 지휘봉으로 가르쳐 창피를 주기도 했다.

바그너는 자신의 오페라공연을 성공시키기 위해 무대공연장 환경을 바꾸는 남다른 지혜로 관중이 끝까지 관람하면서 정신을 집중하도록 했다. 그 결과 성공한 오페라작곡가로 인류역사에 남는 음악가 중에 한 사람이 됐다.

또 자신의 신체적 약점을 살려 성공한 사람이 있다. 샌안토니오 심포니 수석 플루티스트 최성희(가명) 씨는 어렸을 때 심한 천식 환자였다. 감기만 걸려도 호흡곤란이 와서 웅

급실 신세를 졌다.

천식은 주기적으로 일어나는 호흡곤란증상, 기관지에 경련이 일어나는 병으로 기관지성, 심장성, 뇌성, 요독성 천식이다. 그는 천식 때문에 초등학교 6학년 때 플루트를 배우기 시작했다. 투지와 재능도 뛰어났다. 플루트를 시작하고 나서 폐활량이 좋아지고 천식 때문에 겪은 고통에서 벗어날 수 있었다.

그는 플루트라는 악기를 다루기에 체질상 최악의 상태인 천식이라는 약점을 장점화시키는 지혜로 건강을 찾았다. 그리고 지독한 연습으로 미국 콩쿠르에서 우승했다. 또 미국 로체스트 필하모닉 플루트단원 및 객원 수석이 됐다. 그는 슬기로운 지혜와 포기하지 않는 끈질긴 늑대의 근성으로 건강을 찾아 20대에 세계적인 플루티스트가 됐다. 크나 작으나 성공하기란 쉬운 일이 아니다.

목적하는 것을 성공시키기 위해서는 자기만의 특별한 노하우가 필요하다. 지혜가 요구된다.

치킨전문점으로 성공한 보통사람의 이야기에 귀를 기울어 볼 필요가 있다. 어려운 여건에서 치킨전문점으로 성공한 강선영(가명) 씨, 강선영 씨는 젊어서부터 줄곧 샐러리맨 생활을 했다. 40대에 접어들면서 샐러리맨 생활을 접고 레드오션업종으로 변신을 시도했다. 그는 창업을 해서 짧은 기간에 자리를 잡고 성업 중이다. 변신에 성공했다.

강선영 씨가 변신에 성공할 수 있었던 것은 주변 업소와 차별화를 시켰다.

　오전에는 초등학생 고객이나 어린자녀들의 간식에 알맞은 상품으로 팝콘볼 등 메뉴를, 야간은 기름기를 뺀 오븐구이치킨을 이렇게 시간대 별로 상품을 차별화 했다.

　또 시간대 별로 경품행사나 각종 이벤트도 했다. 점포 알리는 일을 소중히 하기도 했다.

　1년 내내 하루도 쉬지 않고 영업을 했다. 그래서 쉬지 않고 일하는 가게로 특화했다.

　강선영 씨는 점포를 내기 전에 예리한 통찰력으로 지역주민의 연령대, 가족구성, 주요활동 시간대 등을 살피고 배달을 위한 인근지역 거리까지도 소상히 파악 지역 상권을 철저하게 분석했다.

　이러한 남다른 지혜로 창업했었기에 쉽게 정착할 수 있었다.

지속적인 성장을 위해서는 늘 새로운 시장을 창출해야 한다

　시장은 소비자(수요자)와 생산자(공급자)로 이루어져 있다. 20세기 말까지만 해도 소비자가 특정 브랜드를 선택했다. 결과적으로 소비자가 소득, 가격 등 경제적 요인과 특별한 속성으로 시장을 지배했다. 즉 수요가 공급을 창출했다.

　그러나 산업화 이후 지속적인 경제발전으로 21세기는 물질만능의 시대가 됐다. 또 경제적 부는 인간들의 소비패턴을 바꿔 놓을 뿐만 아니라 삶의 질을 크게 향상시켰다. 의식주을 걱정하던 시대에서 명품을 선호하는 시대로 바뀔 것이다. 즉 기업이 소비자가 원하는 상품을 만들어 시장에 내놓는 전략으로는 생존할 수 없는 시대가 된다.

　21세기는 소비자가 제품을 선택하는 것이 아니라 생산자가 소비자를 선택하게 된다. 생산자는 소비자의 잠재의식에 초점을 맞춰 상품을 개발 시장에 공급해야 한다. 시장의 주도권을 소비자가 아닌 생산자가 잡아야 지속적으로 성장하게 된다.

이런 변화는 1980년대 이후를 기준으로 서서히 일어나기 시작했다. 소비자가 쾌락적, 경험적 관점에서 행동을 했다. 즉 소비자가 정서적 동기에서 구매행동을 하며, 소비과정에서 즐거운 느낌을 경험하고자 했었다.

물리적 특성보다는 상징적 가치를 더 중요시 했었다. 이러한 소비자의 행태를 잘 파악하여 소비자의 감성과 잠재의식을 기업이 먼저 파악하고 이를 바탕으로 제품과 서비스를 개발해 시장을 주도해야 한다는 마켓드라이빙 이론이 주목을 받게 되었다.

노스웨스턴대 필립코틀러 교수는 마켓드라이빙 전략을 이렇게 말했다.

_과거에 기업은 소비자가 원하는 제품을 생산 공급하는 소극적 방법으로도 가능했으나 현대는 혁신적인 제품을 가지고 소비자를 끌어드리는 적극적인 태도라야 한다.

_감성과 영혼에 호소하는 '뜨거운 주제' 라야 한다.

_이성보다 감성에 호소해야 하는 짧으면서도 강한 메시지가 담겨있어야 한다.

_ '값싸고 튼튼한' 것 보다는 '왠지 더 좋다' 라는 반응을 보여야 한다.

_경쟁제품과 차별화를 하되 비교할 수 없도록 진열 장소부터 분리시켜야 한다.

  _ '범주적 차별화를 한다. 새 제품은 완전히 새로운 범주로 차별화하여야 성공한다' 라는 '소비자를 가르치는 전략이 필요하다' 고 했었다. 또 '기업이 성공하기 위해서는 소비자의 행동을 정확히 파악해야 한다' 라고 했었다. 뿐만 아니라 '현대사회의 소비자들은 제품에서 긍지를 갖고 또 명품을 소지함으로써 특별한 지위도 사고 싶어 한다' 라고 했다.

  이제는 기업이 필립코틀러 교수가 말하는 것과 같이 행동을 하지 않으면 시장에서 살아남을 수가 없다.

  즉 기업이 획기적인 신제품을 만들어 새로운 소비를 창출해야지 과거와 같이 소비자가 원하는 상품을 만들어서는 성공할 수 없다.

  필립코틀러 교수의 이론과 같이 생산자가 신상품을 개발, 새로운 소비자를 유발시켜 경기불황에도 미국의 소비자들 사이에 뜨는 제품이 있었다. 뜨는 제품은 이색 상품인 점 뿐만 아니라 경제성도 있었다.

  소비를 유발시켰던 이색상품의 특성을 보면 여러 기능을 하나로 합친 형태의 상품이거나, 새로운 아이디어로 제품의 독특한 디자인 색상 또는 소재로 만들어진 것이거나, 한 제품으로 5가지 스타일의 MP3플레이어, 롤리탑 UBS스틱,

휴대용 미니LED도서 등 상품들이었다.

　새로운 시장을 창출하는 또 다른 형태로는 2000년대 초 영국에서 산업재를 생산하고 있는 모건크루서불사가 새로운 시장 창출을 위해 신상품을 개발 출시하면서 비용을 낮추고 상품수준을 높였다.

　이색상품을 만들어 새로운 수요를 창출했다. 고객변화를 꿰뚫어 보고 그에 적절히 대처했다.

　생산과정과 인력을 최소화 했다. 다른 면에서 크게 뒤떨어 지지 않는다면 절대 실패하지 않는다는 점을 간파하여 실천했다. 그 결과 모건크루서불사는 크게 성공했다.

　미래의 시장에서는 과거와 같이 소비자에게 끌려 다니는 기업은 살아 남을 수가 없다. 생산자 스스로가 새로운 아이디어로 수요를 창출해 내야한다. 시장을 꿰뚫어 볼 수 있는 탁월한 지혜와 예리한 판단력으로 새로운 시장을 만들어가야 한다. 결국 그런 기업만이 살아남고 성공할 수 있다.

소비자 심리를 이용하는 것이 곧 성공이다

성공의 열쇠 중 예리한 통찰력을 빼 놓을 수 없다. 예리한 통찰력은 모든 행위를 결정하는 기본이 된다. 예리한 통찰력에 의해 얻어진 정확한 정보를 바탕으로 치밀한 계획을 세워 실천했을 때 비로소 목적을 달성 할 수 있다.

기업이 성공하기 위해서는 소비자 심리를 잘 파악해야 한다. 소비자의 심리를 꿰뚫어 볼 줄 아는 기업만이 성공한다.

한국인은 값비싼 외제상품이면 무조건 선호한다. 때문에 일본의 쏘니나 도시바, 프랑스제 고급 위스키나 와인, 스위스제 시계, 독일산 자동차 벤츠 등과 같은 물건을 많이 갖는 것을 자랑으로 여긴다. 한 마디로 값비싸고 명품이라면 선호한다.

미국인들은 투박하지만 튼튼한 것을 좋아한다. 사용하는

데 불편하지 않고 편리한 것이면 선호한다. 일본인들은 날렵하며 작고 세련된 디자인으로 품질이 우수한 여러가지 기능을 갖춘 제품을 선호한다. 식품의 경우는 양 보다는 질을 우선으로 간단하게 즐길 수 있는 것이면 좋다.

중국인이나 인도네시아인은 화려하면서 실용적인 것, 유럽인들은 저렴하면서 실속 있는 것을 선호한다. 인도사람들은 아름답고 섬세하면서 저렴한 것을 좋아한다.

이슬람인들은 남에게 드러내기 좋아하며 화려한 포장에 값비싼 것일수록 선호한다. 일예로 가전 매장에서 전자제품을 구입할 때 내용물 보다는 진열된 제품의 박스만 보고 결정한다. 구입한 제품이 집에 도착했을 때 포장을 뜯어보는 것에 즐거움을 느낀다. 포장자체만 보고 구매하기 때문에 포장이 화려해야 많이 팔린다. 또 성능이 비슷한 제품이면 비쌀수록 선호한다. 기왕이면 가격을 비싸게 팔아야 한다.

이슬람인의 소비심리를, 즉 전자제품을 예로 구매 성향을 구체적으로 들어다 보면

_박스만 보고도 물건을 사는 사람이 많아 겉포장을 칼라로 인쇄, 화려하게 포장을 해야 한다.

_같은 기능이면 비싼 제품을 선호한다. 고급제품은 더 고가로, 가격을 비싸게 팔아야 한다.

_물건구매 시 신뢰를 중요 덕목으로 한다. 평소 신뢰를 쌓아야

한다.

_이슬람문화를 존중하는 기업이 만든 제품을 선호한다. 때문에 콘란 관련한 특화제품을 개발해야 한다.

*라마 단기간에 지역민에게 기부 또는 딜러들에게 의료보험, 장학금제공 등 감성 마케팅을 해야 성공한다.

이렇듯 소비자는 자신의 구매여건과도 관계가 되지만 국가적인 배경, 민족성, 종교적 영향, 문화적 환경에 따라 구매심리가 다양하다. 그래서 기업이 성공하기 위해서는 수요자 성향을 파악, 그에 적합한 상품을 제조해야 한다.

특정수요자를 대상으로 상품을 특화하기 위해서는 예리한 통찰력이 필요하다. 예리한 통찰력으로 얻은 정보를 바탕으로 주도 면밀한 계획을 수립 실천해야 한다. 크고 작은 어떤 기업이라도 늑대의 특이한 기질 없이는 성공 못한다.

늑대의 잔인성도 때론 필요하다

배부른 호랑이는 먹이가 옆에 있어도 욕심내지 않는다. 먹이를 거들떠보지도 않는다. 그러나 늑대는 다르다. 기아 상태의 늑대 뿐만 아니라 포화상태에 있어도 먹잇감을 발견하면 죽을 힘을 다해 쫓아 잔인하게 죽이는 속성이 있다.

사자가 먹고 남긴 것을 먹기도 하고 배가 불러 먹지 못 하더라도 토끼, 다람쥐 등 작은 동물까지도 물어 뜯어 죽인다.

늑대는 본시 작은 동물은 먹지 않는다. 그러나 며칠을 굶으면 작은 짐승까지도 눈에 띄는 데로 물어 뜯어 먹고 그리고 배가 덜 차면 경우에 따라서는 동족까지도 잡아 먹는다.

인간이 보다 낳은 성공을 위해서는 늑대의 근성을 배워야 하고 그 근성을 바탕으로 삶을 살아야 한다.

그러나 인간은 늑대와는 달리 순리도 존중해야 한다. 성공이 아닌 실패를 하는 한이 있어도 눈에 띄는 데로 물어 죽이고, 뜯어먹고 하는 잔인한 짓까지 가리지 않는 늑대처럼 그렇게 살아서는 안 된다.

'태양을 향해 던지는 창이 가장 높이 올라간다' 는 말이 있다. 보다 바람직한 성공을 위해서는 원대한 꿈을 가지고 늑대와 같이 예리한 통찰력으로 사물을 꿰뚫어 기회를 놓치지 않고 성취될 때까지 끈기로 포기하지 않고 실천해야 한다.

성공을 위해서 늑대의 근성을 배워야 하겠지만 사람은 최소한 취할 것은 취하고, 취해서는 안 되는 것은 취하지 말아야 한다. 즉 순리에 어긋나지 않는 적절한 방법으로 늑대의 통찰력, 포기하지 않는 끈기, 협동심, 희생정신으로 살아야 비로소 보다 크게 성공한다. 이것이 늑대의 속성이며 성공의 법칙이다.

현명한 자는 불속에 손을 넣지 않는다

　복잡하고 빠른 속도로 변하는 세상에서는 예리한 통찰력으로 사물을 꿰뚫어 보는 지혜가 필요하다. 그리고 슬기롭고 현명하게 살아야 한다.

　자칫 잘못 하다가는 영원히 회복불가능한 치명적인 결과에 휩싸일 수 있다. 그런 점에서 사회를 모닥불에 비유할 수 있다.

　모닥불은 화상을 입고 생명과 재산을 앗아갈 수 있다. 추위와 모닥불, 축제와 모닥불, 모닥불은 이런 저런 삶과 밀접한 관계가 있다. 엄동설한에 모닥불은 추위를 몰아내기에는 더 없는 존재다. 그런 모닥불도 항상 좋은 것만은 아니다. 지나치게 가까이 하면 돌이킬 수 없는 불행을 초래한다.

　그래서 현명한 사람은 아무리 추워도 모닥불과 적당한

거리를 두고 불을 쬐지 바보처럼 손을 불속에 집어 넣지 않는다.

통찰력이 떨어지고 지혜롭지 못한 어리석은 사람은 손이 시린 것만 생각하고 불속에 손을 넣었다 화상을 입고서야 깨우친다. 충분히 그럴 수 있는 일이다. 그런 어리석은 사람이 되어서는 안 된다. 지혜롭게 살아야 한다.

지혜는 지식처럼 배우는 것이 아니다. 스스로 깨우치는 것이다. 지혜를 깨우쳐 일상생활에서, 직장에서 하는 일에 적절하게 사용했을 때 비로소 창조적이고 융통성 있게 능력을 발휘할 수 있다.

그런 지혜야 말로 힘이 된다. 그 지혜를 갈고 닦을수록 더욱 더 큰 힘이 된다.

예리한 통찰력으로 사물을 꿰뚫어 볼 줄 아는 슬기롭고 현명한 사람은 훨훨 타는 불속에 펄펄 끓는 물속에 손을 집어 넣는 그런 바보 같은 일을 하지 않는다.

전진도 후퇴도 때에 맞게 해야 한다

때가 아니다 싶으면 뒤로 물러나 기회를 기다린다. 그런 지혜가 없이는 성공을 기대할 수 없다.

늑대도 때를 기다릴 줄 안다. 앞으로 나아갈 시기와 뒤로 물러설 때를 알아서 행동한다.

늑대는 계략에 능하다. 목적달성을 위해 끊임없이 전략을 바꾼다. 또 때에 따라서는 매우 복잡한 전술로 먹잇감을 포획한다.

며칠을 굶어 아사직전에 있는 늑대가 먹잇감을 발견하더라도 사냥할, 포획할 때가 아니다 싶으면 기회가 올 때까지 몇날 며칠이고 기다린다.

헨리 워즈워스롱펠로는 '썰물이 가고 나면 밀물이 온다'라고 했다. 바닷물도 반드시 들고 나게 되며, 그 시기가 있듯이 사람도 살다 보면 앞으로 나아갈 때와 뒤로 물러서야 할 때가 있다.

물러서야 할 때 물러서고, 앞으로 나아가야 할 때 앞으로 나아가야 성공한다. 나아가야 할 때 나가지 않고 물러서야 할 때 물러서지 않으면 실패라는 결과밖에 얻을 것이 없다. 뒤로 물러서고 앞으로 나아가야 할 시기를 판단하는 데는 예리한 통찰력 또한 필요하다.

또 '앞으로 나아갈 시기와 뒤로 물러설 때를 알아야 한다'는 말은 '때를 기다려야 한다'는 말로 바꿔 말할 수 있다. 때를 기다리기 위해서는 인내심이 필요하다.

장데라브뤼에르는 "인내심을 가지고 준비하면 자신이 원하는 명예를 얻을 수 있다"라고 했다. 이 또한 앞으로 나아갈 시기와 뒤로 물러설 때를 알아 행동했을 때 자신이 원하는 명예를, 성공을 이룰 수 있다는 말이다.

이렇듯 성공에는 시기의 선택이 중요하다. 늑대의 근성인 예리한 통찰력에 의해 적절한 때를 꿰뚫어 기회를 놓치지 않고 잡아야 성공한다.

성공은 능력에 비례한다

능력은 곧 권력이고 재물이며 명예다. 그런 능력의 가치
는 무한하다. 사람은 각기 무한한 능력과 고유의 재능을 갖
고 있다. 그래서 사람마다 능력이 다르다.

일본인 도코 토시오는 "인간의 능력에 커다란 차이는 없
다. 있다면 그것은 근성의 차이다"라고 했다. 근성에 따라
특출한 능력을 지닌 자가 있는가 하면 무능한 자가 있다.
결국 근성의 차이 때문에 능력의 차이가 생기고 능력의 차
이는 천차만별로 나타난다.

성공은 결과적으로 근성의 차이에서 결정된다. 근성이
능력의 차이를 만들어낸다. 능력에는 선천적 능력과 후천
적 능력이 있다. 사람의 능력은 타고난 재능과 노력으로 얻
어진 능력이 합해져서 나타난다.

그래서 능력은 유동적이다. 노력여하에 따라서 능력도

변한다. 노력하지 않는 사람의 능력에는 한계가 있다. 한계를 극복하기 위해서는 꾸준히 갈고 닦아서 능력을 키워나가야 한다. 성공여부는 근성으로 얻어지는 능력에 달려있다. 따라서 개인 스스로는 말할 것도 없지만 하나의 집단, 그 집단의 성패도 구성원의 능력과 근성에 따라 갈라진다.

여기서 성공을 위해서는, 능력과 지혜 그리고 끈기와 인내로 중도 포기하지 않는 늑대의 근성이 필요하다.

명품은 기능이 아니라 예술이다

　명품은 단순한 물건이 아니다. 혼이 담긴 작품이다. 그 속에 예술이 배어있다. 그래서 명품의 값은 생산비로 산출할 수 없다.

　물질이 풍부해지고 소득이 증가하여 생활의 질이 향상될수록 보다 더 많은 명품을 선호한다. 대부분 명품하면 경제적 여유가 있는 사람, 부유한 사람들의 소유물이다. 그러나 소득이 많아지고 생활수준이 향상되면 될수록 명품이 아니면 살아남기 쉽지 않게 된다.

　그래서 기업의 명함도 바뀌어야 한다. 제품을 대량생산 공급경영에서 소비자의 취향에 맞는 개성 있는 고급제품을 생산 공급하는 경영체제로 이동해야 한다.

　10대들이 성장해서 본격적인 구매력을 갖고 소비의 중심축이 될 때는 지금의 양量 중심에서 질質 중심으로 부의 이동이 이루어 질 것이다.

10대 또는 10대 이하들을 겨냥한 새로운 산업으로의 전환이 필요하다. 기업들은 예리한 통찰력으로 미래를 예측 새로운 세대 새로운 수요자에 적합한 제품을 만들어 공급하는데 미리 대비해야 한다. 기업 뿐만 아니라 경제활동적령기에 있는 자 누구도 예외 없이 그 시기에 알맞은 기술과 지식을 쌓는데 소홀함이 없이 대비해야 치열한 경쟁에서 살아 남을 수 있다.

이럴 때 일수록 미래를 꿰뚫어 보는 통찰력과 포기할 줄 모르는 끈기와 같은 늑대의 근성이 필요하다.

쌍용건설 김석준 회장은 "건설에도 벤츠나 BMW같은 명품건설사가 있어야죠. 고급건축물 시공실적을 무기로 해외시장공략에 더 적극적으로 나설 겁니다"라고 하며 의욕을 보였다.

김 석준 회장은 "52도가 기울어진 현대판 피사의 사탑을 과연 시공할 수 있을까?라는 생각에 밤잠을 설친 날이 수없이 많았지만 결국 완공, 그것도 예정된 공기보다 앞당겨 준공 한국 건설업의 위상을 높였다는 것에 자부심을 느낀다"고도 말했다.

그는 작업복을 입고 현장사무소에서 직접 브리핑을 하고 공사현장을 누빈다. 또 추석이나 설 명절 같은 때도 공사현장을 떠나지 않고 고향에 가지 못한 직원들과 함께 차례를 지냈다.

일에 대한 강한 성취욕, 포기할 줄 모르는 끈기, 협동심을 불러일으키는 자기 솔선, 신의를 생명처럼 여기는 태도, 회사와 직원들을 위한 희생정신으로 굳게 무장되어 있다.

치열한 경쟁사회에서 살아 남기 위해서는 명품건축물을 건설할 수 있는 명품건설사가 되어야한다고 투지를 보이기도 했다.

그는 늑대의 근성으로 철저하게 훈련되어 있다. 결국 그는 그 근성을 바탕으로 뛰어난 기술능력을 향상, 가치를 높이는데 성공했다.

유럽에서 경영학 분야 최고 대학으로 꼽히는 HEC경영대학에서 브랜드 매니지먼트를 맡고 있는 카페레 교수는 명품학의 대가로 평가를 받고 있다.

카페레 교수는 "명품경영은 일반적인 경영학 원칙을 명품시장에 적용하면 그 기업을 죽이는 것" 이라고 했다. 또 카페레 교수는 "전통과 역사에서 소스를 찾아 글로벌 브랜드를 만들어야 명품을 탄생시킬 수 있다"고 했다.

그리고 "명품기업경영이 일반기업과 확연하게 다르다"고 했다. "명품기업경영을 위해서는 관리를 맡을 경영자와 브랜드를 맡을 디자이너가 함께 있어야 한다"고 했다.

중요한 것은 '명품은 로고가 반드시 필요하다' 고 했다. 로고를 내 세우지 않는 럭셔리제품이 향후 인기를 끌 거라는 것에 대해서 그것은 개인적인 취향은 될지 모르나 럭셔리는 남들이 알아보는 가시적 로고를 기반으로 한다며, "로고 없는 명품은 의미가 없다"고 했다.

"장기적 성장을 추구하려면 문화적 역사적으로 접근해야 한다"고 했다.

명품은 시장조사에서 소재발굴 제품생산에 이르기까지 세심한 검토와 예리한 통찰력으로 기회를 잡아 중도 포기하지 않는 끈기로 늑대처럼 하지 않고서는 명품을 만들 수도 없지만 성공할 수 없다.

기술과 인재를 중시하여야 한다

  부산에 있는 HK사는 33년 전 창업 소형 미세 초 정밀배관용 관이음쇠 만을 전문으로 생산하는 업체다.

  이 회사가 만들어 내는 제품은 지름이 3mm 이하 미세소형파이프배관을 볼트와 네트만으로 정밀하게 연결하는 기술이었다.

  창업 이후 줄곧 이 회사를 경영하고 있는 M사장은 '미세관음쇠' 라는 한 분야에만 집중 열정을 쏟으며 매번 기술을 업 그레이드하지 않으면 살아남지 못한다는 신념으로 재질을 다변화하여 내구성을 높이고 다양한 용도로 제품을 생산하는데 주력하고 있었다.

  시장도 국내에 국한하지 않고 미국, 중동지역, 중국, 영국을 비롯한 유럽 등에 수출을 했다.

  M사장은 '기술과 인재가 곧 기업의 생명이다' 라는 신념

으로 양질의 기술 인력을 보유했다. 직원들 개개인에 대한 생활을 수시로 파악 적절한 처우개선은 물론 상하 간에 인격을 존중하는 마음으로 존칭어를 반드시 사용하도록 종용했다. 인화단결로써 전 직원을 결집시켜 화기애애한 분위기에서 근무하도록 했다.

회사에는 창사 이후 한 번도 노조가 만들어져 본적이 없다. 반면 사원협의회가 있어 회사 주요 사항을 노사가 스스로 논의 협의했다.

M사장은 끈기와 인내, 사업성취욕, 자기희생, 직원들에 대한 배려 그리고 투명경영에 중점을 뒀다.

HK사와 같이 기술과 인재를 중시하는 또 다른 중기업이 있다. 전자부품의 습기막는 도료로 세계 1위가 된 중소기업 D전자재료가 있다. 이 회사는 소재전문기업이다.

이 회사 창업주의 딸인 R대표는 "우리 회사가 발전하고 세계 1위가 된 원동력은 연구개발이다"고 했다.

R대표는 "기술개발을 하기 위해서는 유능한 연구개발 인력이 절대 중요하다며, 전 직원의 40%가 연구 인력이고 그중 80% 이상이 석사급이다"라고 했다.

이 회사의 주력제품은 전자부품을 외부 습기나 열로부터 보호하는데 사용되는 에폭시 코팅 도료 등 액상·분말형태 수동부품용 절연재료부분이며, 세계시장 1위를 점유하고 있다.

D전자재료가 에폭시 코팅도료를 개발하기 전 까지만 해도 미국이나 일본에서 전량 수입하여 사용했다.

R대표는 "전자제품 나이프 사이클이 빨라지는 만큼 새 제품개발을 위해 열심히 뛰어야 한다고 말하며, 성공이 쉬운 것만은 아니다"고 했다.

현재 주력은 에폭시 도료에 이어 전극페이스트, PC휴대용 등 소형가전에 들어가는 칩이 외부와 전기적으로 연결될 수 있도록 도포하는 전극페이스트다.

전극페이스트는 백금, 은 등을 나노 크기의 분말상태로 만드는 기술이 필요하다. 이어 칩에 입힐 수 있도록 페이스트화 하는 작업이 이어진다.

D전자재료 R대표는 '성공의 근거를, ① 유능한 인재, ② 기술개발'이라고 믿고 협동정신과 배려로써 소통을 경영의 최우선으로 하고 있었다.

불가항력은 받아 들여야 한다

어쩔 수 없이, 불가피한 상황에 처하면 거부보다는 현실을 인정하고 겸허하게 받아 들여야 한다. 그것이 현명한 삶의 한 수단이다.

태어나고 죽는 것 그 자체는 선택이 아니다. 태어남도 죽는 것도 운명이다. 또 운명에 따라 산다. 그 누군가는 이런 말을 했다. '죽지 못해 산다.' 죽지 못해 산다는 그 자체가 불가피한 일로 받아들일 수밖에 없다. 그런 삶, 그 삶의 목적은 결국 생명을 유지하되, 보다 보람되고, 즐겁고 행복한 순간순간들의 연장을 위한 것이다.

독일 출신 작가 파울은 "인생은 한 권의 책과 같다. 어리석은 사람은 그것을 마구 넘겨버리지만 현명한 사람은 열심히 읽는다. 인생이라는 책은 단 한번밖에 읽을 수 없다는 것을 잘 알고 있기 때문이다"라고 했다. 반복 할 수 없는 것, 연습이나 복습을 할 수 없는 것 그것이 인생이다. 그런 인생의 삶이 후회되어서는 안 된다. 그래서 인간은 자신의 마음속에 품고 있는 가장 인간다운 소망을 성취하고 스스로 최선을 다해 열심히 사는 것이 중요하다.

늑대처럼 지혜롭게 열심히 사는 것, 그리고 현실을 받아들일 줄 아는 삶 그것이 현명한 삶이요 성공한 삶이다.

실패! 성공만큼이나 가치 있다

"실패는 나에게 필요한 것이다. 내게 실패와 성공은 같은 가치를 지닌다. 왜냐면, 나는 좋지 않은 방법을 알고 나면 어떤 일을 해내는 정확한 방법을 깨닫기 때문이다."

이 말은 인류사에 발명왕으로 전해지고 있는 에디슨이 한 말이다. 사람마다 "실패를 하면 의기소침해진다. 좌절한다. 후회하고 포기를 한다. 그러나 에디슨은 실패를 하고 그 실패의 원인을 정확하게 깨달으면 실패도 성공만큼이나 가치를 갖는다"고 했다.

실패했다고 좌절해서는 안 된다는, 또 실패를 두려워하지 말라는, 실패도 가치가 있고 의미가 있다는, 실패도 성공만큼이나 중요하다는 말이다.

또 프랑스 소설가이며 비평가인 롤랑은 "실수를 전혀 하지 않는 사람은 아무것도 하지 않은 사람뿐이다" 라고 했다. 무엇인가 하다보면 실수를 하게 돼 있다. 그러니 실수를 두려워하지 말라는 말이기도 하다. 실수를 했다고 의기소침하지 말고 다시 시작하라는 의미가 함축되어 있다.

미국은 소련이 1957년 세계 최초로 인공위성 스푸트니크 1호를 쏘아 올리고, 1961년 4월에는 유리가가린을 태운 보스토크 1호를 발사해 유인 우주비행에 성공하자, 1961년 5월 존 F 케네디 대통령이 '10년 내에 사람을 달 표면에 상륙시킨 뒤 다시 귀환시키겠다'고 발표했다. 그로부터 8년 뒤 1969년 7월 20일 미국인 우주비행사 암스트롱(당시 39세)이 이글호를 타고 인간이 지구역사상 최초로 달 표면에 발을 내 디뎠다.

암스트롱은 '한 사람에게는 작은 한 발걸음이지만 인류에게는 위대한 도약'이라는 말을 남기기도 했다. 그 후 도전은 계속되었고, 결국 달 표면에 우주왕복선이라는 정거장을 설치 인간이 달에 상주하고 있다. 그러나 미국은 최초로 위성을 발사했었을 적 발사 2초 만에 1.5m 높이에서 공중폭발 또 1986년에는 우주왕복선 체린저호도 발사 73초 만에 공중폭발 승무원 전원이 사망을 했다. 하지만 좌절하지 않았다. 재 도전을 했다. 그 결과 소련을 앞질렀다.

미국은 상상도 할 수 없는 일을 생각해 냈고 의지와 투지로써 성공했다. 상상을 현실로 만들었다. 두 번의 실패에 좌절하지 않는 결과였다.

또 한국은 1960년대 초 제 1차 경제개발 5개년계획을 수립 시행한 후 지속적인 경제개발로 세계가 부러워 할 정도로 경제성장을 이루어 냈다. 그 결과 1990년대 1인당 국민소득 2만 달러시대를 맞이했다. 본격적인 마이카, 마이홈 시대가 펼쳐지고 있었다. 1997년 뜻하지 않는 경기불황으로 금융위기를 맞아 IMF로부터 긴급금융지원을 받아야만 할 경제위기를 맞이했다.

회생이 불가능할 거라는 세계적인 경제전문가들의 예측이 있었다. 그러나 한국은 금 모으기운동을 벌리는 등 국민 모두가 자발적인 협력과 협조, 근면과 성실, 끈기와 인내로 도전 불과 5년도 체 되기 전에 금융위기를 탈피할 수 있었고, 재 도약의 발판을 만들어 경제발전을 지속시켰다.

한국인은 금융위기라는 경제실패에도 좌절하지 않고 전 국민이 힘을 모아 성공했다.

지구는 자전과 공전을 계속한다. 지구 속에 존재하는 인류는 한 순간도 쉬지 않고 새로운 것에 도전한다. 도전은 살아있음을 의미하고 살아있는 한 도전은 멈출 수 없다. 도전이 계속되는 한 실패와 성공은 반복된다. 실패할 때 마다 실패했다고 좌절해서는 안 된다. 좌절보다는 실패의 원인을 파악, 끈기와 인내로 극복하려는 태도만이 성공을 이룰 수 있다.

글로벌 기업인 노키아는 휴대폰과 함께 스마트폰의 세계

시장에서 점유율이 2008년 말 기준 59%를 찾지 했다. 노키아는 자사의 기술력과 시장 점유율만 믿고 소홀히 하는 동안 불과 2%의 시장을 점유하고 있는 애플이 신제품 아이폰을 개발 출시함에 따라 2009년 들어서 28%로 뚝 떨어지고 애플은 23%로 급성장을 했다.

회사의 사정이 이쯤 되자 노키아의 최고경영자 올리페카 칼라스부오는 여기서 좌절하지 않고 휴대폰제조업체에서 콘테즈를 공급하는 모바일 서비스업체로 변신을 꾀하고 경쟁력을 더욱 강화하는 것이 목표라고 했다.

시장 점유율에서 실패한 노키아의 CEO는 결코 좌절하지 않고 새로운 도전을 선포하고 기술개발을 시작했다.

여기서 늑대의 예리한 통찰력과 포기하지 않는 끈기와 인내가 필요하다. 또 회사를 위한 희생도 협동심도 필요하다. 그런 경우 실패하지 않는다. 반드시 성공을 이룰 수가 있다.

2부

청조 황제 옹정

불평 많은 직원은 인내로 포용하라

불평은 비 생산적이다. 심한 불평을 하는 자는 개인적으로는 불행한 일이고 조직에서는 암적인 존재가 된다.

불평은 자기 불만족에서 생긴다. 인간에게는 무한한 욕심이 있다. 그 욕심 때문에 결국 만족할 수가 없다. 그래서 항상 누구나 불만이 생긴다.

옹정 황제는 황제의 자리를 넘보는 윤지의 신복으로 막강한 병력을 가지고 있는 연갱요 장군에 대해 불만이 만만치 않았다. 연갱요 역시 옹정 황제에 대한 불만이 있었다. 옹정 황제는 연갱요의 내심을 훤히 들어다 보고 있었다. 황제로써 몹시 불쾌함을 안 가질 수가 없었다. 그러나 옹정 황제는 내색하지 않고 연갱요의 부모와 처가 친인척에 까지도 벼슬과 재물을 주며 인내로써 대했다. 그뿐만 아니라 그를 위해 할 수 있는 모든 것을 베풀어 극진히 환대했다.

그럴수록 연갱요는 기고만장했다. 옹정 황제는 그래도 인내로써 포용했다.

옹정 황제는 결국 인내로 포용했고, 연갱요는 옹정 황제의 끈질긴 인내에 굴복했다.

사람은 누구나 하루하루를 살다보면, 또 크나 작으나 조직생활을 하다보면, 불평도 생기고 즐거운 일도 생긴다. 불평이 있다 해서 그때그때 말하고 다툴 수도 없다. 우리는 그때 무엇을 어떻게 인내해야 하는가?

우선 문제가 생기면 곧 바로 싸우지 말고 인내로써 시간을 갖고 대화를 시도한다.

각양각색의 사람들이 모여 한 순간도 빼놓지 않고 투쟁하며 살아가는 세상에서 제 나름대로 뜻을 펼치고 싶다면

*자신의 욕망을 억제할 줄 알아야 한다. 욕심을 버리지 못하면 자기 자신을 잃고 이익의 노예가 되고 말 것이다.

*영예와 치욕에 담담하여야 한다. 인내심을 발휘하는 가장 보편적인 방법은 치욕을 당해도 당황하지 않는다.

*원한이 있는 사람을 포용한다. 미운사람에게 내색하지 않고 포용하는 것 또한 인내의 한 방법이다.

*분노의 표출을 자제한다. 자신의 감정을 삭이지 못하고 불만이나 원망을 그대로 다 표현하거나 또 다른 사람에게 화풀이를 하면 결국 주변 사람들로부터 점점 미움을 사고 무시를 당한다.

*겸손 한다. 겸손함은 사람을 진보하게 하지만 교만은 사람을 낙오자로 만든다. 겸손한 사람은 매사에 크게 실수를 하지 않는다.

성공하기 위해서는 때로는 자신의 욕망을 억제하고, 영예와 치욕에 담담하고, 원한이 있는 사람을 포용하고, 분노 표출을 자제하고 겸손해야 한다.

영국의 비평가 러스킨은 "인내에 따라 장래 성공이 달라진다. 오랫동안 인내할 수 없는 사람은 희망을 잃고 만다" 라고 했다.

'인내가 곧 성공의 요소다' 라는 말과 같다. 늑대가 먹잇감을 사냥할 때 포획할 때 적절한 기회가 올 때까지 끈질긴 인내로 견딘다. 그렇게 해서 성공한다.

또 로마의 철학자 세네카는 "참을 수 없는 일을 참아냈을 때 마다 유쾌해 진다" 라고 했다. 유쾌해진다는 말은 참을 수 없는 일을 참아냈을 때 비로소 하고 싶은 것을 성취 할 수 있다. 성취되었을 때 유쾌해진다.

인내는 성공한 사람, 성공한 기업의 한 중요한 요소이기도 한다. 늑대도 먹잇감을 사냥할 때 실수를 범하지 않고 성공하기 위해서 몇날 며칠이고 참으며 때를 기다린다.

불평을 불평으로 나타내지 않고 참으며 대비하는 자만이 옹정 황제처럼 성공할 수 있다. 늑대가 먹잇감을 사냥할 때 인내로써 때를 기다리 듯 견디며 포용해야 한다.

리 아이아코카, 페터브라베크 레드마테, 도널드 트럼프, 그리고 최지성 그들은 누구

리 아이아코카 클라이슬러자동차 회장, 도널드 트럼프 트럼프 그룹 회장, 페터브라베크 레드마테 레슬러 회장 그리고 삼성전자 최지성 사장 등은 글로벌기업에서 CEO로 성공한 사람들이다.

여기서 그들을 특별히 이야기하고자 하는 데는 그들이 갖는 몇 가지 공통점이 있어서다. 그것도 대부분 사람들이 가급적 싫어하는 것들을 그들은 스스로 선택했다.

그 공통점이 초석이 되어 크게 성공했다.

*첫째 그들은 사회진출 초기 대 기업에 입사했다. 도널드 트럼프 회장은 아버지가 하던 부동산회사, 그것도 망해가는 회사를 인수했지만 나머지 세 사람은 재벌 임원들과는 아무런 연고가 없는 공채출신이다.

*둘째 희망부서가 학교에서 전공하지 않았거나 전공했던

분야라 하더라도 힘들어서 남들이 기피한다는 영업직을 스스로 선택 최 말단에서 일을 했다. 물건을 들고 영업장을 찾아 다니거나 길거리에서 수요자와 직접 부딪치며 판매를 했다.

*셋째 그들은 일을 즐겼다. 일을 위해서는 혼신을 다해 매달리는 강한 집념을 가졌다.

*넷째 예리한 통찰력으로 미래에 대한 예측능력이 탁월했다.

*다섯째 자신의 미래에 대한 뚜렷한 목표가 있었다. 그리고 성취욕이 강했다.

*여섯째 깊은 애정을 갖고 직원들을 포용했다. 이런 바탕에서 성실하게 인생을 살아온 사람들이다.

리 아이아코카는 이공계 출신 엔지니어로써 전공과 다른 세일즈분야를, 최지성 사장은 계열사 지망에 있어서 1지망에서 3지망까지 모두 삼성물산을 선택했다. 그렇게 두 사람은 엉뚱한 행동을 한 별난 신입사원으로 회사에서 화제가 됐다.

또 페터브라베크 레드마테 레슬러 회장은 대학에서 경제학을 전공했다. 그도 전공과는 다른 마케팅과 홍보분야에서 일을 했다. 입사초기는 화물차에 아이스크림을 싫고 길거리 판매를 했다. 도널드 트럼프는 "거래자체를 위해서

거래를 한다"라며 거래를 즐겼다. 리 아이아코카, 페터브 라베크 레드마테, 도널드 트럼프, 그리고 최지성, 이 네 사람은 끈기와 인내 그리고 성실함, 뿐만 아니라 일에 대한 욕심, 강한 집념과 성취욕이 남달리 닮았다.

리 아이아코카는 이태리 나폴리 출신 미국 이민 2세로 이태리 특유의 국민성을 지녔다. 자기주장이 강하고 저돌적인 성격을 가졌다. 그는 1946년 8월 포드자동차회사에 학생 엔지니어로 입사했다. 입사 후 4주 동안 트럭 프레임 내부에 부착되는 철선 이음 쇠에 캡을 부착하는 일을 했다.

하루는 아버지가 회사를 방문 작업복차림의 리 아이아코카를 보고 미소를 머금으며 "너는 17년간 학교에 다녔다. 반에서 1등으로 졸업하지 못한 바보 천치에게 무슨 일이 닥치는지 이제야 좀 알겠느냐"라고 했다.

훈련기관 18주 중 9주를 마칠 무렵 그는 엔지니어분야에서 보다는 마케팅 내지는 판매부문에서 근무하기를 열망했다. 감독관에게 마케팅 분야에 배치해 줄 것을 강력히 피력했다. 그 결과 영업장인 뉴욕지점으로 추천이 됐다. 뉴욕지점에서는 채용거부를 당했다. 필라델피아의 체스터지점에 채용이 됐다.

그는 세일즈맨으로써 상담에 번번이 실패를 했다. 실수란 인생의 일부분이란 일념으로 실수를 거울삼아 똑같은 실수를 하지 않도록 노력했다. 입사 4년만인 1950년대 초

경기불황으로 해고 직전까지 가는 어려움을 겪었다. 그는 더욱 열심히 일을 했다. 그 결과 겨우 살아남을 수가 있었다. 세일즈맨의 기술을 터득하는데 많은 시간과 노력이 소요됐다.

리 아이아코카는 이런 충고를 하고 있었다. "세일즈맨은 상담에 앞서 고객의 심리파악이 중요하다. 고객은 자신이 원하는 것에 대한 정확한 정보를 모른다. 다만 옷이면 옷, 신발이면 신발, TV이면 TV, 그것을 구매해야겠다"는 일념으로 매장을 찾을 뿐이다. 그것들 중에 어떤 것을 선택할 것인가는 상담을 통해 결정하게 된다. 그것을 빨리 파악하도록 도와주는 것이 세일즈맨의 첫째 임무다.

다음은 고객의 구매 능력을 파악해야 한다. 그러기 위해서는 예리한 통찰력이 필요하다. 옷차림, 헤어스타일 등을 보고 순간적으로 그 사람의 구매성향과 경제적 능력을 알아 내야한다. 예를 들어 구두를 구매하기 위해 고객이 구두점을 찾으면 그 고객의 옷차림과 헤어스타일을 살핀다. 옷차림을 보면 어느 정도 능력을 갖고 어떤 종류의 구두를 구매할 수 있을 것이라는 예측을 할 수 있다.

그에 맞는 제품을 권해야 영업에 성공할 수 있다. 그래서 "무엇보다 고객의 심리 파악이 판매의 관건이다" 라는 것을 알았다. "결과적으로 그는 고객을 접할 때 그 상황에 맞는 자신만의 마케팅 지혜를 터득해야 한다"고 했다.

자신은 "자동차 구매 고객에게 그런 방법으로 접근했다. 그렇게 했더니 판매실적이 두드러지게 나타나기 시작했다. 과히 독보적 존재가 됐다"고 했다. 또 그는 이런 말도 덧붙였다. 입사 4년 만인 1949년에 펜실베니아주의 윌크스베어 지구의 지점장으로 승진 발령됐다.

한번은 13개 판매지역에서 13위를 했다. 낙심한 그를 보고 위로해 준 사람이 있었다. 동부지역 지점장인 비캄 씨였다. 후에 회사 내에서 가장 좋아하고 존경하는 사람이 됐다. 그 때 비캄 씨는 이런 말을 했다.

"누군가가 결국엔 꼴찌가 되어야 하지 않겠나." 그런 말을 하고 걸어갔다. 가다말고 또 하는 말이 "하지만 두 달 동안 연속 꼴찌는 하지 말게나." 또 그는 "인색하게 굴란 말이야, 그게 바로 돈을 버는 비결이지?"

실수와 관련해서 비캄 씨는 또 "항상 이걸 기억해 두게나, 모든 인간이 실수를 범한다는 걸 말일세, 문제는 대부분의 인간들이 그것을 인정하지 않으려는데 있다네, 누구나 대게 실패하면 자신의 과오를 인정하지 않으려 하고 아내나 자식이나 기후 등에 그 탓을 돌리려 한단 말이야."

리 아이아코카는 어려운 일이 있을 때 마다 비캄 씨 말을 떠 올렸다. 그리고 더욱 열심히 일했다. 힘이 들수록 용기를 냈다.

항상 생각하며 남들보다 더 많은 일을 했다. 그런 것들이 바탕이 돼 입사 24년째인 1970년 사장으로 선출됐다.

사장이 된 후에도 리 아이아코카는 지방 출장을 할 때면 세일즈맨처럼 도시를 오가면서 거리 안내용 물품을 끌고 다녔다. 또 평일은 물론 일요일 밤이라도 지점이 있는 도시에 도착하면 트럭세일즈맨에 대한 훈련을 시키기도 했다. 또 온 종일 내내 그들과 이야기를 나누기도 했다. 리 아이아코카는 남들보다 두 배 세배 바쁘게 살았다. 그에게는 휴일도 밤도 없었다.

여기서 삼성전자 최지성 사장과 닮은꼴을 발견할 수 있다. 최지성 사장은 어려서 부터 자기 주장이 강하고 고집이 세서 특별한 별명까지 있었다. 한 때는 데모도 했다. 그는 1971년 서울대 무역학과에 입학 1977년에 졸업, 삼성그룹 사원공채시험에 합격 입사했다.

최지성 사장이 제1 희망도, 제2 희망도, 제3 희망도 일관되게 삼성물산을 지망한 데에는 머지 않은 장래에 무역입국의 시대가 올 것을 예상했다. 그래서 그룹 내 계열회사 중에 무역을 주업으로 하는 삼성물산을 희망했다.

당시 신입사원들 대부분이 삼성물산을 희망하기도 했었지만 그는 언젠가는 때가 되면 오퍼상을 하겠다는 또 다른 꿈을 꾸고 있었다. 그래서도 삼성물산에서 근무하기를 기대했다.

삼성그룹 인사팀에서는 최지성의 계열사 지원서를 보고

불쾌하게 생각했었다. 여러 가지 말도 오갔다. 그 때 신입사원 교육담당 조교였으며, 현재는 삼성SDS 사장인 김인, 당시 팀장은 "본인이 하고 싶어 하는 일을 하도록 배치하는 것이 좋겠다"라고 인사책임자를 설득, 최지성을 삼성물산 잡화과로 발령 그곳에서 근무하게 했다. 잡화과에서 이쑤시게, 신발, 문구 등을 팔러 길거리로 나가 동분서주했다. 때와 장소를 가리지 않고 열심히 일했다.

1985년에 독일 프랑크푸르트 출장소로 발령이 났다. 출장소라고는 해도 단 1명의 직원도 없었다. 혼자서 영업을 했다. 가방에 반도체를 담아 차에 싣고 독일 전역 뿐만 아니라 유럽 곳곳을 누비고 다녔다. 전자나 컴퓨터 상호를 가진 업체를 전화번호부에서 찾아 전화를 걸고 무조건 찾아다녔다. 그리고 상담을 했다. 문과 출신으로 전문지식이 없어 상담하는데 어려움도 이만저만이 아니었다.

그래서 반도체기술서적을 구입 밤을 새워가며 무조건 암기했다. 영업지역을 프랑스, 스위스, 오스트리아 등지로 점점 넓혔다. 때로는 알프스산맥을 넘기도 했다. 알프스산맥을 넘다 눈길에 미끄러져 죽을 고비도 몇 번 넘겼다.

독일 근무 첫 해 매출이 겨우 100만 달러에 그쳤다. 수 없이 업체를 찾아 상담을 했으나 번번이 실패를 했다. 냉소도 많이 당했다. 그러나 조금도 위축되지 않고 찾고 또 찾아갔다. 지쳐 쓰러지기도 했다. 그땐 포기할까 생각도 했다. 여기서 포기하다니 그럴 수는 없어 하는 고집이 발동했다. 그래서 더욱 열심히 뛰었다. 그 결과 다음 해에는 500만 달러, 그 다음 해에는 2,500만 달러로 매년 눈덩이처럼 증가했다. 실적이 많아지자 재미도 났다. 더욱 열심히 일했다. 지칠 줄 모르고 일한 결과 한 해 한 해 세월이 지나자 자신도 모르게 사내에서 항상 최고, 최초라는 수식어가 붙어 다녔다. 그룹 내에서도 화제의 대상이 됐다.

삼성물산에서 근무한 얼마 뒤 삼성그룹 비서실로 자리를 옮기게 됐다. 또 다시 삼성전자 반도체로 인사이동이 됐다. 그는 2006년에 보르도 TV 세계 1위, PC모니터, 휴대폰 등에서도 세계 1위로 부상, 잇단 성공신화를 썼다. 디지털보부상으로 바뀌었다. 그는 한번 손댄 일은 끝장을 보는 성격이다. 또 높은 목표를 세우고 이를 달성하기 위해 가혹하게 자신을 채찍질하는 일 중독자다.

토요일 일요일도 쉬지 않고 회사에 출근 일을 했다. 출장 중에도 수시로 전화를 걸어 일을 지시하거나 보고를 받았다. 그는 영업을 제대로 하려면 제품의 제조공정, 제조원가, 무역, 금융까지 모든 프로세스를 꿰고 있어야한다고 했다. 반도체, TV, 휴대폰 등에 대해서는 담당자 이상으로 알고 있다.

140여 년 전인 1866년에 스위스에서 설립 음식료기업으로 커피 '네스카페', 생수 '페리에' 등 6,000여 종의 브랜드

를 보유, 해외 매출 비중 98%를 차지한 세계 1위 종업원만
도 28만 명에 달하는 기업 스위스 네슬러의 페터브라베크
레드마테 회장의 성공에는 뛰어난 기질과 남다른 경영철학
이 있었다.

그는 회사에 입사하자마자 아침 6시에 일어나 트럭을 몰
고 길에서 아이스크림을 팔았다. 온 종일 거리를 누비고도
못다 팔 때는 늦은 밤까지 쏘다녔다. 지쳐 쓰러지는 날도
있었다. 밤을 새가며 마케팅 전략에 대한 공부도 하고 직장
선배들에게 경험담도 듣고 그 이야기들을 바탕으로 전략도
세웠다. 그렇게 해서 점점 실적이 나아졌다. 자동차에 싣고
나온 "아이스크림을 다 팔고 트럭을 차고에 넣고 퇴근할
때는 가슴이 뿌듯하고 행복했었다"라고 했다.

그는 입사 3년 만인 1970년부터 남미지역에서 세일즈 매
니저, 마케팅 디렉터로 일했다. 그는 시장상황변화에 신속
하게 대응을 했다. 얼마 뒤 에콰도르, 베네수엘라 법인 최
고 경영자로 발령을 받았다.

때 마침 불경기였다. 불경기 극복을 위해 과감하게 구조
조정을 했다. 그 결과 회사는 성장을 이루었다. 그 결과 29
년 만인 1997년 그 회사 최고 경영자가 됐다. 네슬러에서
40여 년이라는 긴 세월 동안 직장생활을 했다. 1997년부터
본사 CEO로 레슬러의 성장을 주도한 그는 장기비전에 능
통하다. 탁월한 통찰력으로 예측능력이 뛰어났다.

그가 네슬러를 지속적으로 성장하게 한 비결에는

*근본적이고 장기적인 가치에 집중했다.

 - '수면 위에서 피상적으로 변하는 것 보다는 바다 밑의 변하지 않는 가치가 무엇인지를 알아야 한다' 라는 생각으로 접근했다.

 -장기적 전략과 가치수호를 위해 분기실적보고는 하지 않았다.

*틈새 시장 공략과 다양한 신제품으로 시장을 공략했다.

*사람 머릿수에 중점을 뒀다.

 -인구추세를 정확하게 판단 경영전략을 세웠다.

*철저하게 개별 소비자에게 집중했다.

 -철저히 현지화와 맞춤식 전략으로 했다.

 -유대인 종교식인 코셔와 모슬렘음식인 할라는 비슷하지만 그 차이를 알고 공략했다.

페터브라베크 레드마테 레슬러 회장이 보는 세계 경제전망에 대해서는

*유럽은 만성적인 고실업과 경직된 노동시장이 가장 큰 걸림돌로 큰 문제라고 했다.

*중국은 한 자녀 출산정책으로 인해 머지 않은 장래에 고령화 문제로 일본 꼴이 될 전망이라고 했다.

*한국 시장은 경쟁이 매우 치열하고 이익수준이 낮다고 했다. 그러나 커피와 생수시장에 기대해 볼 만하다고 했다.

*글로벌소비시장에서 아시아가 성장엔진이라고 생각하

지 않는다. 그래도 미국 시장은 여전히 역동적인 시장이라고 했다.

페터브라베크 레드마테 네슬러 회장이 성공하는 데는 앞에서 언급한 비결 외에도 투명성과 언행일치라는 경영철학과 끈질긴 인내, 미래의 시장을 살필 줄 아는 예리한 통찰력 그리고 사람을 중시하는 협동성이 있어 가능했다.

그는

*내일 아침 신문에 나올만한 일은 절대로 하지 않는다.

*저유가 시대가 오지 않을 것처럼 저 식품가 시대는 오지 않는다.

-설탕, 코코아, 커피 등 식품원자재값이 지속적으로 오르고 있다.

-식품수요는 늘고 공급은 줄게 될 것이다.

이런 신념을 가지고 있었다. 그러면서 네슬러 회장은 네슬러 직원들에게 이런 주문을 하고 있었다. 즐겁게 일 할 수 없으면 차라리 그만 둬라, 기쁘게 일 하라, 정말 하고 싶지 않으면 하지 말라, 네슬러 직원이 되려면 오래 행복하게 일할 준비가 돼 있어야 한다. 2~3년 일하고 떠나려는 젊은이들은 채용하지 않는다.

또 주 37시간이 아닌 42시간을 일 할 수 있는 마음가짐도 필요하다. 그리고 자발성과 변화를 잊어서는 안 된다. 이렇게 했을 때 성공할 수 있다.

"성공의 적은 순응이다. 성공은 과거가 아니라 미래의 일이 성과를 거둘 때 붙일 수 있는 말이다"라고 그렇게 해야만 성공할 수 있다며 부탁을 아끼지 않았다.

또 페터브라베크 레드마테 레슬러 회장은 "철저한 현지화와 맞춤식 전략만이 생존전략이 될 수 있다"고 강조했다. 그를 위해 상품을 만들 때는 "지역 소비자의 입맛과 문화에 맞게 상품을 특화하여야 성공한다"고 했다. 그러기 위해서는 "무엇보다 목표고객의 욕구를 읽어내는 통찰력이 있어야한다"고 했다. "그렇게 했을 때 비로소 생존할 수 있다"고 했다. 또 그는 '경영자의 덕목은 투명성과 언행일치' 라고 강조했다. 그 외에도 직원 재교육과 사업장과 근무지 이동을 통해 직원에게 역동성을 부여했다.

바깥세상이 움직이는 것과 같은 속도로 변할 때 사람들은 안정감을 느낀다며 능동적인 변화를 통해 일에서 행복을 느낄 수 있도록 했다. 그는 자신의 모든 삶이 네슬리에 고스란히 녹아들어 있다고 했다. 페터브라베크 레드마테 레슬러 회장은 이렇게 해서 성공을 했다.

여기서 리 아이아코카 회장 그리고 페터브라베크 레드마테 레슬러 회장과 최지성 사장 세 사람은 사회에 진출한 첫 번째 일이 마케팅으로 그것도 밑바닥에서 시작하여 대성한 사람들이라는 공통점이 있었다. 또 그들은 마케팅 초기 실패라는 경험도 닮은꼴이었다.

또 리 아이아코카가 이공계 출신으로 세일즈분야에서 일을 한 것도 이공계 세일즈 출신이 대표가 된 것도 포드자동차회사 역사상 최초였듯이, 이공계 엔지니어 출신만이 사장을 맡아 온 삼성전자에서 인문계 출신이 그것도 말단 영업사원으로 시작한 최지성이 대표이사 사장이 된 것도 삼성전자 40년 역사상 처음이다.

페터브라베크 레드마테 레슬러 회장 또한 경제학을 전공 길거리 세일즈와 물품배달일로 시작, 입사 29년 만에 최고의 경영자가 됐다. 창업자와 무연고 말단 사원이 회장이 된 것도 레슬러 창사이래 처음이다.

이렇게 세 사람은 전공과 다른 마케팅 분야에서 직장생활을 시작 최고 경영자가 된 공통점이 있다.

리 아이아코카, 페터브라베크 레드마테세, 그리고 최지성, 이들 3 사람의 공통점은 최 말단 영업사원에서 전공과는 다른 분야에서 열심히 일을 하여 성공한 점이다. 또 그들은 아침 일찍 일을 시작 밤늦도록 쉴 줄 모르고 미친 듯이 일만을 했다. 이들 세 사람 외에도 미국인 세계 제일의 부동산, 카지노 재벌 도널드 트럼프 회장도 회사 내에서 출근은 1등 퇴근은 꼴찌로 항상 그렇게 일해 왔다.

그는 대학을 졸업하고 아버지의 사업을 이어받아 곧바로 경영에 뛰어들었다. 아파트와 호텔을 사들이고 건축과 임대, 리모델링 사업을 벌였다. 40대 초에 부동산제국의 황제로 군림했다. 1980년대 부동산시장 붕괴와 친구 빚보증 때문에 92억 달러 채무로 파산직전까지 내 몰렸다. 1990년대 후반을 넘기면서 재기에 성공했다. 제 2의 신화를 창조하게 됐다. 화려한 영웅의 모습으로 미국 경제의 부흥을 상징하는 인물이 됐다.

트럼프 회장은 리 아이아코카 회장이나, 페터브라베크 레드마테 레슬러 회장, 최지성 삼성전자 사장과는 달리 시작자체부터 월급쟁이 그것도 세일즈맨이 아닌 사업가였다. 부유한 가정에서 부모의 사업을 물려받았다. 그런데도 그는 일을 하기 위해 태어난 사람처럼 일이라면 퇴근도, 출근도 없이 사무실에서 날을 새기도 했다. 그리고 "자신이 하는 일에 열정을 갖는 것은 매우 중요하다"고 했다. 또 그는 "자기회사를 그만 두려는 사람은 붙잡지 않는다. 그들이 여기에 있고 싶어 하지 않는다면 나 또한 그들을 여기에 두고 싶지 않다" 이 지구를 시장으로 생각한다면 해야 할 일이 너무나 많다. 이런 것들이 리 아이아코카, 페터브라베크 레드마테 그리고 최지성 세 사람과 너무도 닮았다.

트럼프는 "사람이란 누구나 하고자 하는 일을 성취시켜 성공했다는 말을 듣고자 한다"라며 당신도 성공을 위해서는 반드시 다음과 같이 해 보라고 했다.

* '돈은 그 자체가 목적이 아니다. 꿈을 실현하는데 가장

효과적인 수단이다' 라는 것을 염두에 둬라.

  *빵 굽는 사람에게는 빵 굽는 법을 묻고, 돈 버는 법은 억만장자에게 물어라.

  *계속 성장할 수 있는 것은 지속적인 배움이다. 배움을 통해 매일 새로 시작하라.

  *최고 하고만 일을 하라.

  *주변에 믿을 수 있는 사람들을 포진시켜라.

  *다른 사람이 당신보다 더 열심히 일하기를 바라지 말라.

  *회사를 살아 숨 쉬는 생물로 여겨라.

  *자신이 하는 일에 열정을 갖는 것은 매우 중요하다.

  *사람들에게 위압감을 주지 말라. 위압감을 주면 누구한 테서도 솔직한 대답을 듣지 못하게 되고 마침내는 목적을 이룰 수 없게 된다.

  *당신의 조직은 다른 누구도 아닌 바로 당신의 조직임을 잊지 말라.

  *말끝을 흐린다면 그것은 자신이 하는 일에 대해 확신이 없다는 표정이다.

  *자신의 일에 자부심을 느끼는 사람들이야 말로 주변에 둘만한 사람들이다.

  *스스로를 소중한 사람으로 만들지 않고서 소중한 직원으로 인정받기를 기대하지 말라.

  *배움은 배움을 낳는다. 나는 가만히 머물기 보다는 자극

을 받고 싶다. 눈가리개를 하고 사업을 할 수는 없다. 하루 중 일정부분은 지평을 넓히는데 할애하라.

　*위대한 인물이 되고 싶다면 넓은 세상사에 지속적인 관심을 가져야 한다.

　*비즈니스에는 정글의 법칙이 존재한다. 먹잇감을 향해 달려드는 사자보다도 맹렬해야만 살아남을 수 있다.

　그들 네 사람은 남 다른 의지와 투지로서 정열적으로 일을 한 사람들이다. 그들은 일을 보면 미친 듯이 하는 공통점도 가지고 있었다. 네 사람은 그 결과 굴지의 글로벌 그룹에서 최고의 CEO가 됐다.

　리 아이아코카는 36살에 총 지배인이 됐다. 그는 "성공을 위해서는 무슨 일이든지 서면으로 기록해 뒀다. 기록하지 않고 말로써 그치게 될 경우는 흔히 자신도 깨닫지 못하는 사이에 논점이 흐려져서 명확한 체계가 잡히지 못하게 될 수도 있다"고 했다. 그는 또 "어떤 일이던지 결정을 함에 있어서 시기를 놓쳐서는 안 된다"며, 예리한 통찰력으로 상황을 정확히 파악 신속하게 결정 실행을 했다.

　최지성 사장은 아무리 어려운 문제라도 의사결정을 신속하게 했다. 이메일을 24시간 열어 놓고 직원들의 건의나 보고를 받으면 즉시 답을 보냈다. 밤중도, 새벽도 가리지 않고 의사를 결정 통보 또는 지시를 했다.

사무실은 물론 자동차 내에서도 컴퓨터네트워크에 접속 거의 24시간 내내 확인했다. 스마트폰을 손에 들고 산다. 어깨와 손가락에 직업병이 생겼다. 그는 소통하는 CEO다. 직원들을 아끼는 끔찍한 애정도 가지고 있다. 사장 발령을 받고 불과 2~3일 만에 조직 내 옥상옥의 불필요한 군살을 제거하고 책임경영강화에 초점을 맞춰 조직혁신을 단행했다. 또 가깝게는 2012년과 멀게는 2020년 회사 버전계획을 세워 발표했다. 그는 2012년에는 디지털 황금기가 본격화된다고 보고 마켓셰어는 기업이 가진 가장 강력한 자산이자 미래라고 했다.

2020년에는 "2009년의 4배인 2020조 원으로 매출을 높이겠다"고 했다. 또 "절대적인 시장지배력 확보를 위해 나서겠다"는 이야기도 했다. 소비자 수요중심으로 시장을 세분화해 기능과 디자인측면에서 차별화된 제품으로 시장 점유율을 끌어올리겠다는 전략도 보였다.

그는 자신이 넘쳤다. 삼성전자의 시스템을 악기, 오케스트라가 연주준비를 마치고 시간만 기다리는 지휘자와 같은 심정을 드러냈다. 그는 "각 악기의 특성을 정확히 알고 있는 만큼 조화로운 화음을 통한 최고의 시너지효과를 내는 일만 남았다"고 했다.

당신도 중요한 일에서, 하고자 하는 일에서, 성공하고자 한다면 이 네 사람들처럼 커다란 목표를 세워 성실하게 실천해 보아라. 그러면 반드시 성공할 것이다. 성공한 사람은 투지, 성실, 근면, 인내는 필수적이고 목표와 강한 성취욕이 뒷받침되어야하고, 성공한 기업은 화합과 협동, 투명경영, 인재와 기술을 중시하고 탁월한 지혜와 남다른 능력과 덕을 지닌 지도자가 있어야 한다. 그런 사람, 그런 기업은 반드시 성공한다.

늑대와 토끼의 관계

늑대와 토끼 관계는 사냥꾼과 사냥감 관계로 생존과도 밀접한 관계다. 늑대가 토끼를 사냥할 때 때로는 자신을 노출시키기도 하지만 때로는 숲속 깊이 숨어 토끼를 기다리기도 한다.

토끼는 항상 똑 같은 길로 다니는 습성이 있다. 사냥꾼에게 쫓긴다던지 하는 특별한 경우가 아니면 다른 길로 가지 않는다.

늑대는 토끼의 그런 습성을 알고 토끼가 다니는 길목에 숨어 있다 사냥하는 신출귀몰한 재주로 토끼를 잡아 먹는다.

인간들의 삶도 서로가 서로를 쫓고 쫓기는 관계다. 지구상에는 무한한 재물이 있는 것 같지만 사실은 한정 돼 있다. 그것도 인간들이 필요로 하는 량 보다 부족하게, 그래서 사람들은 한정된 재물을 놓고 조금이라도 더 많이 얻기 위해 쉴 새 없이 경쟁을 한다. 경우에 따라서는 논리적으로 때로는 물리적(총칼)으로 치열한 다툼을 벌린다.

인간들이 재물을 필요로 얻고자 하는 것도 늑대가 먹잇감을 찾아 사냥하는 것과 조금도 다르지 않다. 비단 사람이나 늑대 뿐만 아니라 살아서 존재하는 동물이나 식물들 그모두는 투쟁을 한다. 그래서 모든 동식물들은 삶을 위해 먹잇감을 가장 많이 가장 쉬운 방법으로 구하는 요령을 터득하는 일에 게으름을 부리지 않는다. 살기 위해서 자신만의 특별한 방법을 개발 삶의 수단으로 삶는다.

바위틈에 붙어사는 풀이나 나무는 물을 얻기 위해, 영양분을 얻기 위해, 뿌리는 땅과 물을 향해, 잎과 줄기는 햇빛이 비치는 쪽으로 뻗는다. 또 바람에 넘어지고 쓰러지지 않으려고 뿌리를 되도록 깊이 단단하게 땅속 깊이 박는다. 담장이 덩굴은 많은 뿌리를 벽으로 뻗어 떨어지지 않도록 철썩 달라붙는다. 비바람을 이겨내고 물을 저장하여 가뭄에 대비한다.

벌레들은 새들의 눈을 피하기 위해 보호색을 하고, 새가 잘 보이지 않는 풀이나 나뭇잎 뒤쪽에 그것도 어둠이 드는 늦은 석양이나 이른 새벽에 먹잇감을 찾아 활동을 하다 날이 밝은 한 낮에는 땅속이나 사냥꾼의 눈에 잘 띄지 않은 곳에 숨어 지낸다.

새들은 벌레들의 그런 태도를 알고 새벽 일찍 또는 늦은 석양까지 벌레가 있을 만한 곳에서 머물며 호시탐탐 기회를 노린다.

이렇게 사냥꾼과 사냥감 간에는 삶을 위한 숨바꼭질이 벌어진다. 그 중에서 늑대의 사냥방법이 탁월하다.

늑대가 사냥하는 지략, 늑대의 뛰어난 기질은 인간들의 삶에도 필요하다.

성공한 사람들, 그들은 분명히 늑대와 같이 예리한 통찰력으로 주변 환경을 관찰하여 빈틈없는 면밀한 계획을 세워 포기할 줄 모르는 끈기로써 실천을 하고 강한 협동심으로 일사분란하게 행동을 한다. 그런 사람, 그런 기업이 성공을 했다.

피카소와 반고흐

피카소와 반고흐는 같은 시대 화가로 유명했다.

피카소는 자신만만한 태도로 희망이 넘쳤으며. 긍정적인 사고를 갖고 있었다. "나는 그림으로 억만장자가 될 것이다. 나는 미술사에 한 획을 긋는 화가가 되겠다. 나는 갑부로 살다가 죽겠다"라고 하며, 인내와 끈기 그리고 화가로써 성공하겠다는 철저한 계획이 있었으며 실천하겠다는 강한 의지를 보였다.

반면 반고흐는 "평생을 비참하게 살다가 결국 죽게 될 거야! 틀림 없어, 나는 돈과 인연이 없어, 불행은 내게서 절대로 떠나지 않을 거야"라고 비관적 생각을 가지고 더 나은 삶을 포기했다.

이처럼 입장이 비슷한 피카소와 반고흐였지만 그들의 생각은 정 반대였다. 결국 두 사람은 각각 생각대로 됐다.

피카소는 살아생전에 억만장자가 됐고, 반고흐는 동생의 도움으로 겨우 먹고 살며 가난한 화가의 처지를 벗어나지 못 했다.

파카소와 같이 꿈을 이루어 성공하기 위해서는

*뚜렷한 목표, 즉 꿈이 있어야 한다.

*무용한 시간 낭비를 해서는 안 된다. 즉 허송세월하지 말아야 한다.

*계획을 세워 실천하되 중도 포기하지 말아야 한다. 또 늑대처럼 예리한 통찰력으로 사물을 꿰뚫어 기회를 포착 치밀한 계획을 수립 실천해야 한다.

미국의 월트디즈니는 관찰을 잘 하기로 유명한 사람이었다. 디즈니는 할리우드에서 성공한 영화배우나 감독 또 제작자들을 관찰하여 성공하게 된 원동력이 무엇이었는지 분석했다. 그리고 성공에 대한 꿈을 꿨다. 그 꿈을 이루기 위해 늘 디즈니랜드에 대한 성공을 빌고 또 빌었다. 그 결과 월트디즈니는 미국 풀로리다의 에프콧센타와 일본 디즈니랜드, 프랑스 디즈니랜드를 세웠다.

월트디즈니는 세계 최고의 영화를 만들 꿈을 꾸었고, 그 꿈을 이루기 위해 계획을 세워 실천했다.이렇듯 한 인간도, 하나의 기업도, 꿈을 가지고 계획을 세워서 실천했을 때 그 꿈이 이루어져 인생이 또 기업이 달라진다.

청조 황제 옹정

청나라 황제 강희제는 중국 역사상 태평성대를 누린 황제 중 빼놓을 수 없었다. 그에게는 열 네명의 아들이 있었다. 아버지 뒤를 이을 황제 자리를 두고 일찍부터 형제간에 심한 권력다툼이 벌어졌다.

강희제 황제 역시 아들들에게 본의 아니게 일찍 황제자리를 빼앗길까봐 안절부절 했다. 태자를 책봉했다가 신하들이 태자에게 충성을 하고 따르면 위협을 느끼고 태자를 따르는 신하들을 내 쫓는 등 심한 견제를 했다.

왕자들끼리 또는 태자에 대한 중상모략이 끝이지를 않았다. 그 때마다 황제는 태자를 폐위시켜 귀향을 보내거나 사약을 내려죽였다. 이렇듯 권력다툼이 끝이지 안 했다. 결국 부자간 또는 형제간에 치열한 혈투가 계속 됐다.

강희제 황제의 넷째 아들, 윤진(옹정)은 황제 자리와는 무

관한 태도를 보였다.

부모에 대한 자식으로써의 도리를 할 뿐, 황제의 자리는 물론 어떤 권력도 관심 없다는 태도로 일관하고 황제로써의 자질이 부족한 사람처럼 보이기 위해 때로는 바보짓도 하고 종일 염불로 소일을 하는 등 주의사람들이 관심을 보이지 않도록 행동했다. 그래서 아버지를 비롯한 형제간에 황제 자리를 두고 피비린내 나는 혈투의 아수라장에서 벗어났다.

그러나 옹정은 속내를 드러내지 않았을 뿐, 한 시도 황제의 꿈을 잊지 않았다. 늑대의 교활한 근성으로 다져진 옹정은 황제의 꿈을 이루기 위한 면밀한 계획을 세워 남들이 눈치 채지 못 하도록 한 걸음 한 걸음 실천해 가고 있었다.

옹정은 늑대가 날카로운 감각으로 사물을 꿰뚫어 보고 기회를 노리듯이 특유의 근성으로 때를 기다리고 있었다. 또 "싸우는 것은 싸우지 않은 것만 못 하고 싸우지 않은 것이 싸우는 것이다" 라고 했던 스승의 말을 염두에 두고 겉으로는 태연하는 척 하면서 내심으로는 큰 싸움을 하고 있었다.

늑대가 먹잇감을 사냥하면서 예민한 통찰력으로 무리 중에서 공격이 가장 쉬운 목표물을 선정 공격기회를 포착하고 목적을 달성하기 전까지 중도 포기하지 않는 끈기를 보였듯이 옹정도 지지자와의 끈끈한 단결력으로 경쟁자를 물리치는 기질을 발휘했다.

결국 옹정은 뜻을 이뤄 강희제 황제의 뒤를 이어 태평성대를 누렸다는 청나라 황제 중 한 사람으로 큰 업적을 남겼다.

도나텔로와 미켈란제로

도나텔로와 미켈란제로는 고대 이태리 출신의 조각가다. 미켈란제로가 대리석에 조각한 다비드상(남자 나체)은 시대를 초월한 작품이다.

다비드상에 쓰인 대리석을 두고 도나텔로는 돌덩어리에 있는 흠 때문에 쓸모없는 것이라며 버렸다. 그것을 미켈란제로는 그 흠을 이용하여 조각을 했다.

이렇듯 하나의 돌덩이를 두고도 도나텔로는 사물을 꿰뚫어 보는 능력이 없어 조각하기에 부적합한 것으로 생각하여 버렸던 반면 미켈란제로는 그 돌을 재료로 하여 다윗상이라는 훌륭한 조각품을 만들었다.

미켈란제로는 늑대의 속성인 사물을 보는 뛰어난 통찰력을 가지고 있었다. 그래서 도나텔로가 버린 대리석을 조각 재료로 사용할 수 있는 기회를 가졌다. 또 주어진 기회를 놓치지 않는 근성을 발휘하였다.

　기회는 늘 오는 것이 아니다. 이따금 온다. 가끔 찾아오는 기회가 소리 없이 조용히 온다. 숨어서 소리 없이 오기 때문에 지나고 난 뒤에야 그때가 기회였음을 알게 된다.

　사람이 살아가는 데에는 늑대가 지닌 통찰력에 의한 기회포착, 포기하지 않은 끈기, 단결력과 협동심, 희생정신, 때로는 교활함이 반드시 필요하다. 성공한 사람들의 특징이기도 한다.

고정관념을 깨라

댄 케네디는 말더듬이였다. 어느 날 맥스웰 몰츠가 말한 '사람마다 목표를 세워 반드시 이루겠다는 강한 집념으로 매일같이 그것에 몰입하면 이루어진다' 라는 것을 들었다. 그 말을 듣는 순간 "나는 말더듬이라는 고정관념을 깨고 이제부터는 나도 다른 사람들과 같이 말을 유창하게 할 수 있다"라는 생각을 가지고 자신의 삶에 적용했다.

그 결과 댄 케네디는 세계적인 강연가가 되었다. 한번 강연하면서 받는 돈이 적잖게 억대에 달한다. 댄 케네디는 뛰어난 통찰력으로 기회를 포착하고 끈질긴 인내로 포기하지 않고 실천하는 늑대의 속성을 나타내 성공한 사람이다.

또 늑대의 속성처럼 끈질긴 인내로 삶을 포기하지 않고 성공한 한 인간이 있다. 그 사람이 바로 미국인 헬렌켈러다. 그는 태어나서 얼마되지 않아 듣지도 보지도 못하며,

말하지도 못한 장애자가 됐다. 보고 듣고 말할 수 있는 능력이라고는 없는 중중장애자에 불과했다. 그가 7 살 때 엔서리번이라는 선생을 만나게 됐다. 그 순간 헬렌켈러의 인생이 바뀌게 됐다.

엔서리번 또한 심한 정신 질환으로 독방에서 감금생활을 했었다. 정상인으로 치유될 거란 희망이 없는 상태까지 이르렀다. 죽기만을 기다리고 있는 지경까지 됐다.

그때 한 늙은 간호사가 소녀 엔서리번의 마음을 감동시켜 정신질환을 완전히 치료 정상인이 되도록 했다.

건강을 회복하여 정상인이 된 엔서리번은 불행한 사람들을 돕는 일을 하기로 했다. 일생 동안 봉사를 하며 삶을 살았다. 그때 헬렌켈러를 만나게 됐다. 헬렌켈러의 인생을 바꿔놓은 훌륭한 선생이 됐다.

헬렌켈러를 세계적인 인물로 인류사에 영원히 남을 인물로 교육을 시킨 스승이다.

엔서리번은 헬렌켈러에게 "시작하고 실패하는 것을 계속해라. 실패할 때마다 무엇인가 성취할 것이다"라는 말을 하며, 실패를 해도 좌절하지 않는 끈질긴 인내를 가르쳤다.

예리한 통찰력으로 기회를 포착하고 목적이 달성되기 전까지는 절대로 포기하지 않는 늑대의 근성을 가르쳤다. 그 결과 헬렌켈러는 20세에 하버드대학에 입학을 하게 됐다. 그래서 성공한 헬렌켈러가 됐다.

헬렌캘러는 만약 3일만 눈으로 세상을 볼 수 있다면
*"첫째 날은 사랑하는 가족, 선생 집 두 마리 개, 자신이 살고 있는 집, 그리고 자신의 삶을 가치 있게 만들어 주는 모든 것들을 보겠다. *둘째 날은 세상이 밝아지면서 모든 것들을 볼 수 있게 되는 새벽의 기적을 보고 느끼고 싶다. *셋째 날은 세상 사람들을 보고 싶다"라고 했다.

그녀는 자기가 살고 있는 환경이 궁금하고 해가 뜨고 지는 것, 세상 사람들의 모습을 동경했다. 그런 그녀에게는 야무진 꿈이 있었다.

비록 눈으로는 볼 수 없는 세상이지만 그 세상을 꿰뚫어 볼 수 있는 통찰력으로 기회를 놓치지 않고 실천하고 그 목적을 달성하기 위한 끈질긴 인내가 있었다. 늑대의 특유한 속성을 지녔으며, 그 속성에 따라 성공한 한 인간으로 인류사에 남았다.

훗날의 인류를 위해서 '나의 회상록' 등 유명한 말이 담긴 많은 책을 남겼다. 여기서 '늑대의 속성을 성실하게 실천하면 반드시 성공한다' 는 등식을 볼 수 있다.

또 늑대의 속성인 날카로운 감각으로 기회를 포착하여 목표를 정해 끈질긴 인내로 포기하지 않고 성공한 김기창 화백이 있다.

김기창 화백은 농아라는 장애자다. 장애를 극복하여 정신과 육체가 건강한 사람들마저도 이루기 쉽지 않은 화가로써 크게 성공을 했다. 그 성공의 발판 역시 늑대의 근성인 사물을 꿰뚫어 볼 수 있는 탁월한 통찰력과 뜻이 이루어질 때까지 포기하지 않고 실천하는 끈기가 있었기에 가능했다.

미국의 건국 초기 대통령을 지냈던 에이브람 링컨도 늑대의 근성으로 성공한 사람 중에 빼 놓을 수 없는 사람이다.

에이브람 링컨은 가난한 가정에서 태어나 어린 시절을 살았다. 학교를 다닐 수 있는 형편이 못 되었다. 뿐만 아니라 책 1권을 사서 공부를 할 수 있는 처지도 못 되어 주변 사람들에게 책을 빌려 공부를 하고 목숨을 연명하기 위해 남의 집에서 고용살이를 했다.

에이브람 링컨은 "나는 이 세상 아무데도 갈 곳이 없어 좌절할 때가 한두 번이 아니었다"는 말을 했다.

그 말만으로도 어렸을 적 링컨이 얼마나 많은 고난을 겪으며 살았는 가를 알 수 있다.

그러나 그는 가난 때문에 굶주리며 고통 받는 국민과 인권마저 잃어버린 체 살고 있는 노예 해방을 위해 대통령의 꿈을 가지고 철저하게 사전 준비를 하고 포기하지 않는 끈질긴 늑대의 근성으로 성공했다.

늑대의 근성이 아니면 도저히 불가능한 일을 이루었다. 여기서 또 늑대의 근성은 성공이라는 법칙을 볼 수 있다.

정상! 오르기와 내려가기

삶은 곧 새로운 것에 대한 도전이다. 어떤 경우도 반복되는 일은 없다. 외관상 같은 것 같지만 그렇지를 않다. 누구도 평생을 두고 경험을 해볼 순 없다.

허구한 날 밤이 오고 아침이 오지만 같은 밤과 아침은 없다. 무엇이 달라도 다르다. 나 또한 어제의 내가 오늘의 내가 될 수도 없다.

인간은 시시각각으로 새로운 것을 맞이하고 그 새로운 것을 향해 쉴 새 없이 정진한다. 그것이 곧 삶이요 꿈이다. 자신이 바라는 정상으로 가는 길이다.

사람마다 정상에 대한 꿈을 가지고 있다. 그 꿈이 곧 그 사람이 바라다보는 정상이다. 그 정상에 오르기란 쉽지 않다. 그러나 정상에서 내리기란 쉽다. 정상을 향해가는 것 그 자체가 삶이며, 삶 그 자체는 반복되는 것이 아닌 순간

순간 새로운 것이다.

또 정상에 오르면 내려가는 것은 필연이다. 계속에서 정상에 머물러 있을 수만도 없다.

정상에 오르면 내려가는 것이 세상의 이치理致다. 이치를 거슬리는 것은 순리가 아니지만 인간이 살면서 정상에 오르는 것도, 올랐으면 보다 오래 지키려는 것은 당연한 소치所致다.

세계 1위 자리가, 집단 내에서 최고 자리가, 정상이라면 그 1위 또는 최고의 자리에 오르기 위해서는 시간과 돈 투자 뿐만 아니라 상당한 노력이 따라줘야 한다.

지난 30년간 PC업계 절대 강자로 군림해온 마이크로소프트가 비스타 참패로 독주체제에 급제동이 걸렸다. 게다가 구글을 중심으로 한 '오픈소스' 진영이 무료로 소프트웨어를 내 놓으면서 마이크로소프트의 사업영역이 크게 잠식당했다. 거기다가 구글이 연구개발한 크롬OS를 획기적인 저렴한 가격으로 출시하게 되어 마이크로소프트로써는 결정적인 타격을 입게 됐다.

세계 1위 기업이 위협받는 것은 마이크로소프트 뿐만 아니다. 세계 반도체시장에서도 최고 강자였던 인텔이 현실에 안주 잠시 신상품 연구개발을 소홀히 하고 전통적 영역인 모바일에 매달려 새로운 시장을 창출하지 못한 사이 퀄컴, TI, 삼성전자 등 후발업체들이 신 상품을 개발하여 맹

추격을 했다. 인텔은 매출이 급격하게 감소했다. 결국 위기에 직면했다.

또 글로벌정보기술을 독식해온 인텔도 흔들리고. 통신업계의 노키아는 플랫폼형 제조기법을 창안 휴대폰분야의 최강자 세계 1위 자리를 지키고 있으나, 애플이 아이폰을 출시한 이후 시장 주도권이 급격히 터치폰과 쿼티자판으로 바꿨다. 거기다가 삼성전자와 LG전자가 울트라터치, 쿠키 등 글로벌 히트폰을 내 놓아 노키아에게는 치명적이었다.

노키아는 전략부재에다 스마트폰시장에서 주도권을 애플과 블랙베리에 넘겨줬다. 또 후발업체의 맹추격도 노키아의 미래를 어둡게 했다.

노키아가 주는 교훈을 요약해 보면
- 상승 없는 시장 점유율에 안주해서는 안 된다.
- 시장예측 부재와 돌파구 마련 실패가 기업경영실패를 가져온다.
- 후발업체의 추격을 소홀히 해서는 안 된다.
  (예: 노키아는 삼성, LG, 애플, 림 등 후발업체의 협공으로 무너지기 시작함)
- 신흥시장을 계속 개척하지 못하고 성장이 정체되어서는 안 된다.
- 신기술 신제품 개발(쿼티폰, 스마트폰, 터치폰 등 최신 트랜드 등)을 소홀해서는 안 된다.

노키아의 교훈은 누구나 알 수 있는 평범한 이야기 같지만 기업들은 가끔 이를 소홀히 하다 낭패를 당한다.

지속적인 성장을 위해서는 매일 업무시작하기 전 명상시간을 갖고 노키아가 주는 교훈을 한 번쯤 새겨 보아라.

이 외에도 철강업계 아르셀로미탈도 낮은 생산성과 재무 부실후유증이 원인이 되어 1위 자리를 위협받고 있다.

GM 또한 마찬가지다. 80여 년에 가까운 오랜 기간 자동차업계 1위였던 GM이 파산보호신청에 이르고, 휴대폰시장을 10여 년간 1위를 고수해오던 모토롤라는 1위 자리를 내 놓았다.

치열한 경쟁은 정상에 오른 기업을 끌어내리기 위해 쉴 새 없이 도전하고 있다. 반면 소비자는 보다 좋은 새로운 것을 바란다.

기업은 소비자가 어떻게 변하고 있는 가를 재빨리 파악하여 그에 맞춰 변해야 한다. 변화를 싫어하고 현실에 안주하는 기업은 소비자로부터 외면을 당하게 되어 있다. 외면은 곧 시장에서 퇴출을 의미한다.

세상에 영원한 강자도, 절대 강자도 없다.

정상에 올랐다고, 세계 1위가 되었다고, 방심이나 자만해서는 안 된다. 방심이나 자만은 금물이다. 방심하는 순간, 자만으로 거들먹거리는 동안, 쉬지 않고 쫓아오는 적이 있다. 그 적에게 먹히고 만다.

과거 어느 때와 달리 현대는 시장이 다양하다. 다변화된 시장에서 과거처럼 한 방향으로 한 가지 제품만으로 고집 스럽게 소비자들을 끌어들이기란 쉽지 않다.

새로운 시장을 겨냥한 혁신적인 상품을 쉬지 않고 개발 공급해야만 살아남을 수 있다.

20여 년 전 또는 10여 년 전 얻은 지식이나 기술을 가지고 계속해서 살 수 있는 시대는 끝났다. 어제의 지식이나 기술이 오늘은 무용지물이 되는, 어제 성업 중이던 직업이 내일이면 폐업해야 하는, 긴박하게 돌아가는 소용돌이 속에서 살아남기 위해 신속하게 변해야 산다.

어렵게 오른 정상을 지키기 위해서는 더 많은 노력이 필요하다. 정상을 지키기 위해서는 쉬지 않고 변해야 한다. 변화만이 살아남는, 정상을 지키는 유일한 방법이다.

덕은 있으나 능력이 없는 사람은 쓰지 말라

　직장에서 필요로 한 유능한 사람이란 덕과 능력을 갖추어야 한다. 능력은 없으면서 덕만 있다고 유능한 사람일순 없다.

　또 덕은 없으면서 능력만 있어서도 안 된다. 정부의 각급 조직은 물론 크고 작은 기업이나 한 두 사람을 고용하는 소상인이라 하더라도 사람을 쓸 때에는 덕과 능력을 갖춘 유능한 자를 써야 성공한다.

　고대 중국에서 전래 해 온 용인술의 비법을 보면 '성공적인 용인은 천하를 다스리는 기본' 이라고 했다.

　성공적인 용인술로 순자는 "천하를 다스리는 것은 정치를 하는 사람에 달려있는 것이지 제도가 아니다"라고 했다.

　한비자는 순자와는 다르게 "천하를 다스리는 가장 좋은

방법은 법에 의한 통치이지 사람의 지혜나 덕이 아니다"라고 했다.

순자와 한비자의 의견이 다르듯이 주장하는 사람에 따라서는 다른 의견을 보일 수가 있다. 이와 같이 사람들의 견해에 따라서 약간의 차이는 있을 수 있으나 결과적으로 기업의 흥망성쇠는 임직원의 능력과 자질에 따라 결정된다. 특히 기업을 경영하는 사람은 보다 많은 능력과 덕을 지녀야 한다.

덕이 없는 경영인은 단기적으로는 성공하는 것 같아 보이지만 유능한 인재가 따르지 않고 쓸모없는 쓰레기 같은 사람들에 파묻혀 득보다는 실이 커 장기적으론 결국 망한다. 결과적으로 천하를 다스리거나 기업을 성공시키기 위해서는 순자의 견해와 같이 사람을 잘 써야 한다.

덕과 능력을 갖춘 인재를 중시하고 예민한 통찰력으로 사물을 꿰뚫어 기회를 놓치지 않고 끈기와 인내로써 협동정신을 발휘하고 경영자는 직원을 위하고 또 직원은 기업을 위해 양보와 희생정신으로 서로를 아끼고 배려하는 기업이어야 반드시 성공한다.

동네에서 인테리어간판을 붙이고 일이 생기면 그때마다 일당을 주고 인부 한 두 명을 데리고 주택 방 도배를 하고, 장판을 깔아주는 등 간단한 실내 수리나 하는 사업을 시작한지 불과 3년 만에 반듯한 사무실과 직원 10여 명을, 그 후

10년이 지난 뒤는 50여 명에 가까운 직원을 거느리는 중견 기업인으로 성장한 K씨가 있다.

K씨는 20대 중반에 LG화학에 입사 20여 년간 재직을 했다. IMF때 왕성하게 일할 40대 중반의 나이에 자신의 의지와는 무관하게 회사방침에 따라 부장으로 퇴직을 했다.

퇴직당시는 자신에 대한 실망, 가족의 생계에 대한 걱정, 주변사람들에 대한 부담으로 세상을 비관도 해 보고 배낭을 메고 산에서 소일도 했었다.

1년 여를 그렇게 지냈다. 남는 거라고는 궁핍한 생활로 가족들 모두가 삶에 대한 의욕이 저하되어 집안 분위기가 가라앉아 찬바람이 성성 불었다.

더 이상 이래서는 안 되겠다는 생각 끝에 주택가 변두리에 값싼 조금한 가게를 세 얻어 인테리어사업을 시작했다. K씨는 필요한 자재구입비용과 인부 일당만 되면 본인의 인건비가 안 되는 경우라도 일을 맡아 최선을 다 했다.

최선을 다해 꼼꼼히 챙겨 하자 없이 일해 줌으로써 친절한 사람, 신용이 두터운 사람으로 인식이 됐다. 그리고 맡은 일이 아니더라도 집 주인이 부탁한 일 중 재료값이 별로 들지 않고 할 수 있는 일이면 거절하지 않고 성의껏 해 줬다.

또 직원들에게는 모든 것을 공개하여 투명하게 하고 이익이 나면 인건비 이외에 수시로 보너스도 줬다. 어떤 경우든 불평하지 않고 열심히 일 해 주는 업소, 친절한 업소로 소문이 났다.

소문이 꼬리를 물자 일 주문이 쇄도하기 시작, 미리 예약하지 않으면 며칠이고 기다려야 할 정도로 사업이 잘 됐다. 도배장판이나 간단한 집수리를 맡겨 본 사람이면 자기가 경영하는 사업장 인테리어는 물론 주변사람들까지 소개를 하는 등 입소문으로 일이 넘쳤다.

K씨는 신용을 최우선으로 했다. 신용을 바탕으로 덕을 많이 쌓았다. 또 시간이 있을 때면 인테리어 관련 문헌을 찾아 직원들과 함께 공부도 하며 능력을 길렀다. 도배나 장판 일에서 집수리로 식당이나 고급 술집, 사무실 인테리어까지 일을 점점 확대해 갔다.

사무실에는 인테리어전문기술자격을 가진 직원을 채용하고 실내외 인테리어 대형공사에 대한 설계에서 시공까지 할 수 있는 상근직원만도 50여 명에 가까운 업체로 성장했다. K씨는 직원을 뽑을 때는 덕과 능력을 중시했다.

덕이 있으나 능력이 없는 사람, 능력은 있으나 덕이 없는 사람은 어떤 경우도 뽑지 않았다. 하루를 쓰는 일용직 직원이라도 반드시 덕과 능력이 있는 사람을 골라 썼다. 친절로써 덕을 베풀고 기술로써 흠없이 깔끔하게 일을 해줌으로써 신용을 두텁게 했다.

늑대와 같이 끈기와 집념으로 성공을 이끌어 냈다.

성공! 자기만의 비법

성공이란 흔히 쓰는 말이며 누구나 듣기 바라는 말이다. 뜻을 이룸, 부나 사회적 지위를 얻음을 의미하는 성공, 그 성공의 기회는 어느 때나 어떤 사람에게나 개방되어 있으며, 반드시 이루어야 하는 절체절명의 사명이다.

그런 성공, 그 성공이 어쩌면 한 인간의 삶, 그 자체로 귀결된다.

세상에는 헤아릴 수 없는 사회적 지위와 부가 있다. 거기에 성공의 종류도 수단도 사람마다 다르며, 척도 또한 다양하다.

남 다르게 성공한 사람에게는 그럴만한 비법과 이유가 있다. 비법이 없는, 특별히 남 다름이 없는, 평범한 생각과 행동으로는 성공을 이룰 수가 없다. 그런 노력도 없이 성공을 바라는 것은 희망이고 요원遙遠한 일이다. 그래서 성공이란 쉽지 않다. 세상에는 남다른 어려운 환경을 딛고 성공한 훌륭한 사람들이 많다.

그 성공한 사람들이 남긴 성공비법을 살펴보면

*흑인 소프라노 제시노먼

제시노먼은 1945년 미국 동남부 조지아주에서 흑인으로 태어났다. 제시노먼은 오페라가 좋아 미시간대학에 입학 성악을 배우기 시작했었다. 당시 미국 사회는 인종 차별이 심해 흑인이 성악가가 된다는 것은 상상할 수 없는 사회적 환경이었다. 그러나 제시노먼은 성악가가 되기 위해 성악을 시작했었다. 성악을 시작한지 얼마 뒤 뮌헨 바이애른 라디오방송국 국제음악콩쿠르대상을 수상했었다. 그로 하여금 일약 미국 음악계 성악분야에서 영웅이 됐었다. 로널드 레이건, 빌 클린턴 미국 전직 두 대통령의 취임식에서 축하 노래를 불렀으며, 버락 오바마 대통령과도 두터운 친분관계다. 뿐만 아니라 흑인으로써 성공 신화로 꼽는 사람 중 한 사람이 됐다.

제시노먼은 성공하게 된 비결을 굳이 말한다면 "위기에 처했을 때 계속해서 '앞으로 앞으로' 라는 투지로써 위기를 극복 기회로 삼았다며, 인생은 노력하는 자에게 선물을 준다는 신념으로 살았던 결과 뜻을 이룰 수 있었다"고 했다.

또 그가 성공하게 된 이유 중에는 집 없는 사람들을 위한 후원과 고향에 무료예술학교를 세워 운영했었던 것 등 투철한 희생정신과 봉사정신도 한몫 했었다.

제시노먼은 "나라를 위해 봉사하는 것이 국민의 책임이다. 또 재능이 있으면서 가난 때문에 공부하지 못한 학생들을 돕는 것은 예술가의 의무다"라는 생각을 갖고 그것을 실천하기 위해서 '성공을 꿈꾼 것이 비결이었다면 비결이었다'고 했다. 치밀한 계획 그리고 실천을 바탕으로 물러설 줄 모르는 늑대의 근성이 그에게 큰 성공을 안겨줬다.

*은하철도 999 감독 린타로

애니메이션 '은하철도 999'를 만드는 린타로 감독은 "작품의 승부는 돈이 아니라 열정과 아이디어에서 갈린다"라고 했다. 그가 '철완 아톰 우주의 용사'를 처음 제작할 때 '돈이 없어 젊은 제작진들과 함께 고생하면서 열정만으로 만들었지만 그래도 많은 독자들로부터 사랑을 받는 좋은 작품이었다며, 꼭 많은 돈을 드려야만 좋은 작품이 만들어지는 것'만도 아니라고 했다.

린타로 감독은 '성공은 돈보다는 열정과 아이디어에 달렸다'고 믿었으며, 또 그런 실천이 지금의 그를 있게 했다.

*중국 디지털 영웅 리옌훙

인터넷 검색포털 세계 제 일의 구글을 중국 시장에서 압도, 중국 네티즌들로부터 사랑을 받는 바이두가 세계 제 2 인자였던 야후를 제치고 제 2인자로 군림했다.

바이두 리엔홍 회장은 바이두가 단순한 인터넷 검색포털이 아니라 '생활필수품' 이라고 하며, 10일 만 바이두 없이 살아보라고 대단한 자부심을 가지고 말했다. 바이두는 창업 5년 만에 미국 나스닥시장에 닷컴업계 슈퍼루키로 등장 2008년 미국 포브스지가 선정한 중국의 억만 장자 중 7번째에 올랐다.

바이두 회장 리엔홍은 과단성이 남 다르다. 그는 '포기와 선택의 기회다' 라고 판단되면 과감하게 결정 곧 바로 시행했다.

리엔홍 회장이 32세 때 친구와 둘이서 벤처자금 200만 달러를 가지고 베이징의 허름한 호텔방에서 바이두를 창업했다. 그로부터 9년 만에 세계 제 2인자로 떠 올랐다.

리엔홍 회장은 유명인사 강연을 빼 놓지 않고 듣고 미래를 설계 끈기와 투지로 철두철미하게 실천한 것이 그의 성공비결이었다

역경을 극복한 자만이 성공한다

굴하지 않는, 포기하지 않는 늑대의 속성으로 일생을 보람되게 살다 간 성공한 사람이 있다. 생후 1년 만에 두 다리를 못 쓰는 소아마비 장애자가 됐다. 그에 비관하지 않고 불굴의 의지로 대학교수가 됐다. 대학교수로서 보낸 기간 동안 많은 후배들에게 전문지식은 말할 것도 없고 인생 삶에 대한 교훈을 남겼다.

장 장기(가명)교수에게는 그의 나이 50에 접어들면서 또 다른 시련이 찾아왔다. 2001년 암 발병으로 치료를 했다. 3년 후인 2004년 암은 척추로 전이 되어 항암치료를 받아 좋아지는 줄 알았는데, 그 후 1년 뒤 또 다시 간으로 전이, 결국 2009년 5월 세상을 하직하고 말았다.

세상을 홀쩍 떠나버린 S대학교 영문학과 장 장기 교수, 그 분은 성치 못한 몸으로 너무나 많은 교훈을 남겼다. 성한 사람도 하기 쉽지 않은 일들을 했다.

그 분은 자신의 장래에 대한 치밀한 계획을 세워 장애라는 것을 극복했다. 투지와 끈기로, 삶에 대한 의욕으로 이겨냈다.

그는 이런 말을 했다.

"내가 살아 온 기적이 당신이 살아갈 기적으로 되기를".

그 분은 자기가 살아온 날들을 기적이라고 했다. 그러나 기적은 없다. 살아야겠다는 희망과 자신의 인생에 대한 목표를 가지고 성취해야겠다는 끈질긴 인내로 실천한 결과이지 결코 기적이 아니다.

본인이 기적이라고 한 것은 겸손이다. 그분은 절망 속에서도 희망이라는 힘으로 뻗디며 살았다. 희망이 그의 삶을 지탱해 줬다.

사내 비밀은 경영의 적이다

　성공한 기업이 되기 위해서는 협동이 필요하고 협동을 위해서는 사내 비밀이 최소화 돼야 한다. 그리고 CEO와 직원, 직원과 직원 간에 소통이 중요하다. 뿐만 아니라 희생이 필요하다. 희생은 임직원도 있어야 하지만 CEO도, 회사도 감수해야 한다.

　그런 가운데 늑대의 근성과 같은 협동성과 희생정신이 있어야 한다.

　제너럴일렉트리(GE) 잭 웰치 회장은 지금까지는 지속성장만이 글로벌 재계에 키워드가 됐지만 이제는 기업이 성장해야 한다는 원칙을 강조했다. "성장하지 않으면 죽은 기업이며 정체된 기업처럼 나쁜 것은 없다"고 했다.

　잭 웰치 회장은 성공한 기업이 되기 위해서는 기업운영의 4 가지 요소를 갖추고, 그를 중시해야 한다며, 4 가지 요소 리더십, 비즈니스 환경 자원, 메카니즘을 제시했다.

네 가지 요소 중에 우선 순위로는 '좋은 리더십' 이라고
했다. 그 리더는 "직원을 잘 설득하는 사람이어야 한다"고
했다.

또 경영자는 직원과 시간을 많이 보내 소통하라고 했다.
직원 또한 사내에서 본인의 위치가 어디인지 정확히 알아
야 한다고 했다. 그는 사내 비밀은 경영에 가장 큰 적이라
고 강조했다.

잭 웰치 회장은 "무엇보다도 위기가 시작될 때 소통이 이
루어지지 못하면 위기가 흔히 최악의 경우로 묘사된다며
위기를 숨기려고 하면 더 복잡해지고 커진다" 라고 했다.

결과적으로 기업이 경영자를 중심으로 한, 전 임직원이
협동정신과 희생정신을 갖고, 인내와 끈기로써 최선을 다
했을 때 성공이 이루어진다.

인내와 역경

　이정(가명) 씨는 태어날 때 온몸이 노랗게 변했다. 의사 말에 의하면 '담도 폐쇄증'이라고 했다. 생후 2개월 된 어린이에게 간과 쓸개에서 소화액이 십이지장으로 분비되는 관인 담도가 선천적으로 막혀 서서히 녹아가는 '담도 폐쇄증'은 사형선고나 다름 없었다.

　담도 폐쇄증 환자는 신생아 1만 명 중 1명 꼴로 태어나는 희귀병이다. 수술을 해도 합병증 때문에 10년을 못 넘긴다는 무서운 병이다.

　그러나 이정 씨 어머니는 자식을 어떻게 해서라도 살려서 건강한 인간으로써 성공시키겠다는 각오로 병원을 찾아나섰다. 집념과 열정 그리고 인내와 투지로 나섰다. 담도 폐쇄증 전문병원 또는 전문의를 찾아 수술을 시키고 지속적으로 치료를 시켰다. 그 결과 생명을 간신히 유지하는데 성공했다.

7살이 되면서 건강한 모습으로 변했다. 고등학교 때는 특공무술의 달인이 되었다. 그의 어머니는 끈기와 인내로써 자식을 길렀다. 또 음악가로 키우겠다는 목표를 가지고 열정적으로 가르쳤다. 이정 씨는 20대 중반 대학을 졸업하게 되고 졸업식장에서는 연주회에 성악가로 무대 위에서 '동심초'를 불렀다. 모자의 집념과 열정이 만들어 낸 인간 승리였다. 늑대가 먹잇감을 사냥할 때 갖는 끈질긴 집념 못지 않은 투지로써 성공했다.

또 한 산악인은 인내와 투지 그리고 열정으로 여성 최초 히말라야 13좌 등정이라는 기록을 세웠다. 블랙야크소속의 한국인 40대 초반 오선(가명) 대장은 히말라야의 8,000m 이상급 고봉 14좌 중 1좌를 남겨 놓고 완등을 했다. 오선 대장이 13좌를 성공한 2009년 8월 3일까지는 오스트리아의 겔린데 칼텐브루너와 스페인의 에두르네파사본이 12좌를 등정했다.

오선 대장은 2009년 말 이내에 14좌 완등을 목표로 하고 있다. 14좌 완등 여부를 떠나 13좌 등정까지만 해도 남다른 끈기와 인내 없이는 그리고 치밀한 통찰력에 의한 기회 포착 없이는 이룰 수 없는 일을 해 냈다. 또 고산 지역에서 산소부족으로 겪는 호흡 곤란, 강풍과 빙판, 추위 등에 의한 인간 한계에 가까운 역경을 이겨낸 성공을 해 냈다.

무기보다 더 무서운 것이 지혜다

베네수엘라의 문화부 장관을 지냈던 경제학자이며 오르간 연주자인 아부레오 박사는 '음악은 사회개혁의 도구'라는 소신으로 엘시스테마 베네수엘라 청소년 및 아동오케스트라 국가시스템을 만들었다.

시몬볼리바르음악학교 교사 레나르 아코스티는 유년시절 빈민촌에서 문제아로 살았다. 소매치기로, 마약거래로 9번이나 경찰에 잡혀들어 갔다. 그러던 어느 날 무료로 음악교육을 시키는 엘시스테마에 입학을 했다.

클라리넷을 배우면서 인생이 달라졌다. 처음 악기를 받았을 때 아코스티는 "나에게 악기를 맡기고도 도둑맞지 않을 거라고 믿는 바보가 있다니 놀랐다. 손에 잡힌 클라리넷 촉감이 총보다 훨씬 더 좋았다"라고 했다.

엘시스테마가 빈민가 아이들의 삶을 바꿔놓고 있다. 아

이들은 악기를 배우면서 자아실현방법을 터득하고 미래를 준비하기 시작했다.

이 학교출신자들이 사회 곳곳에서 자랑스러운 일을 하고 있다.

멘데츠는 시몬볼리바르유스오케스트라단원으로 활약하면서 변호사 자격을 땄다. LA필하모닉음악감독 지휘자 구스타보 두다멜, 베를린 필하모닉 최연소 단원 콘트라베이스 연주자 에딕슨 루이스도 이 시스템출신이다.

베네수엘라가 음악 강국이 된 것도 이 시스템 때문이다. 엘시스테마시스템이 구현하는 정신은 내가 받은 것만큼 사회에 돌려주는 봉사정신이다. 이 시스템은 베네수엘라의 빈민가 사람들에게는 희망이요, 국가엔 중요한 교육 사업이 됐다. 한 사람의 아이디어가, 한 사람의 탁월한 지혜가, 빈민가 사람들에게 희망을 주고, 국가에는 범죄를 주려 사회 안정을 꾀했다.

지혜는 무기와 형벌로써 할 수 없는 커다란 일을 해 냈다.

우리나라에도 아부레오 박사가 창설 운영하는 엘시스테마시스템처럼 회사 내에 음악회를 만들어 운영하고 문화예술을 통해 사회에 공헌한 기업이 있다. 바로 그 기업이 이건산업이고 박영주 회장이다.

이건산업은 목재를 가공 주로 합판제품을 생산한다.

1990년대 중반 박영주 회장은 머지 않은 장래에 원자재

난이 있을 것을 예견하고, 1996년 솔로몬 정부로부터 땅을 장기 임차하여 산업용 묘목을 심었다.

이건산업이 오랫동안 준비한 유전자 조작기술, 식재기술, 조림구획기술로 천혜의 솔로몬 제도환경에서 상승작용을 일으켜 묘목을 심은 지 13여 년 만에 투자비를 회수하기 시작했다.

박영주 회장은 1970년대 초까지 수출 10대 기업 중 절반을 차지했던 합판업체들이 무너진 것은 원자재를 구하지 못해서였다며 미래를 환경과 산업면에서 자원을 확보하는 기업들만이 살아남게 된다는 신념을 굽히지 않았다.

박영주 회장이 미래를 바라보는 예리한 통찰력으로 향후 예상되는 원자재 난을 극복하기 위해 나무 생육에 적합한 솔로몬군도에 땅을 장기임대 묘목을 심어 원자재를 확보하는 지혜로 년 간 수 백억 원의 순 이익을 창출하여 안정된 기업으로 자리매김했다.

또 이건산업 박영주 회장은 한국메세나협회 회장직도 맡고 있다. 박회장은 "우리나라가 발전하기 위해서는 문화예술분야가 활성화되어야 한다. 그러려면 기업은 문화예술지원에 적극동참 해야하고 정부는 이를 뒷받침 해줘야 한다"라고 했다.

박영주 회장은 문화경영을 실천해온 기업 중에서도 손꼽을 정도로 유명하다. 이건산업에는 '이건음악회' 가 있다.

이 이건음악회는 창설된 지 20년이 넘는다.

박영주 회장은 문화예술을 통한 사회에 공헌한 바도 크다. 박영주 회장은 "많은 기업이 문화예술을 통해 사회에 보다 많은 역할을 해야 한다"고 말하기도 했다. 물론 지금도 일부 기업이 소외계층 어린이와 청소년을 대상으로 문화나눔사업을 펼치고 있다며, 어릴 때 받은 예술에 대한 감동이 평생 영향을 끼치고 인생의 터닝포인트를 만들어 준다고 했다.

보다 밝은 사회 명랑한 사회로의 발전을 위해서 "기업과 예술단체가 윈윈할 수 있는 방법을 찾아야 한다"라고도 지적했다.

또 "예술은 창의성을 키워주고 감동을 주는 힘을 갖고 있다. 기업도 성장 동력의 원천을 예술단체에서 배우고 예술단체도 경영에 예술을 접목할 수 있는 방안을 제시해야 한다"라고 했다.

이건산업 박영주 회장이 보는 미래 원자재 난에 대비하는 지혜 그리고 기업과 예술을 접목, 보다 건전한 사회를 조성하기 위한 지혜가 투지와 끈기가 그리고 협동과 희생정신이 박영주 회장의 인간 승리 뿐만 아니라 우리 모두가 함께 할 성공의 원천이 되었다.

목표 없는 성공은 없다

 목표는 성공의 전제다. 성공했다는 것은 일정한 목표가 있었고 그 목표를 달성했다는 말이다.

 어느 정도 성장하면 삶을 위해서 스스로 일을 해야 한다. 생존을 위한 투쟁을 해야 한다. 그 투쟁이 곧 고난이요 망망대해에 떠 있는 난파선에 간신히 매달려 생존을 위해 혈투를 해야 할 처지다. 폭풍우 속 망망대해에서 난파선에 간신히 몸을 싫은 사람에게 목표가 있다면 그 사람은 오직 죽지 않고 살아남는 것. 즉 죽지 않는 것이 목표고, 죽지 않았다면 그 사람은 성공했다. 죽지 않고 살아야겠다는 목표를 가지고 있었을 때 비로소 살아남을 수 있다. 살겠다는 목표가 없다면, 살려고 노력하지 않았을 것이고, 결과는 파도에 떠밀려 실종을 면하지 못했을 것이다.

 목표란 미래에 대한 희망이면서 한편으로는 걱정이고 삶

에 대한 대책이다.

예수는 "내일을 걱정하지 말라"라고 했다. "내일 일은 내일 걱정하라. 하루의 노고는 오늘 하루로 족 하느니라"라고 했다. 그러나 사람들은 실제 내일 일을 생각하지 않을 수 없다. 내일 일을 걱정하지 않는다는 것은 삶에 대한 목표가 없다는 말이다. 목표가 없는 삶은 삶이 아니다. 보다 보람된 삶을 위해서 목표는 반드시 필요하다.

기업 또한 성공을 위해서는 기업이 이룰 목표를 설정하고 그 목표 달성을 위한 치밀한 계획과 실천 의지가 있어야 한다.

목표가 무엇이냐에 따라 장래가 달라지며 목표 달성은 인생을 바꾼다. 그래서 목표가 더더욱 중요하다. 사람은 누구나 원대한 목표를 가지고 있어야 한다.

목표는 곧 꿈이다. 꿈을 가지고 소원을 하면 이루어진다.

링컨은 어려서 대통령이 되겠다는 꿈을 가지고 있었다. 링컨은 가난한 가정에서 태어나 먹을 것이 없고 잠잘 곳이 없어 거리를 방황했다. 어린 나이에 이집 저집을 전전하며 일을 했다. 그러면서도 대통령이 되어야겠다는 꿈을 가지고 꿈을 이루려는 집념에 차 있었다.

대통령이 되어 가난에 굶주린 사람들을 위해, 하늘이 준 인권을 박탈당하고 사는 노예 해방을 위해, 훌륭한 대통령이 되겠다는 꿈, 대통령이 되겠다는 목표를 가지고 있었다.

결국 꿈을, 목표를 이루어 미국 대통령으로써 인류사에 기리 남는 업적을 남겼다.

목표가 있었기에, 꿈이 있었기에 한 인간으로써 또 미국의 역대 대통령 중 한 사람으로서 성공을 이루어냈다.

3부

패기 없는 젊은이 보면
부아가 치밀어 온다

삼성그룹의 성공에는 그만한 이유가 있다

　삼성그룹은 20세기말 이미 국내외적으로 없어서는 안 되는 글로벌기업이 됐다. 그룹의 중심에 삼성전자가 있다.

　삼성전자는 1969년 종업원 36명으로 출발, 첫 해에 매출 3,700만 원, 영업 손실 700만 원으로 보잘 것 없는 회사였으나 40년이 지난 2009년 국내외에 16만1천700명의 종업원과 생산 공장 34곳, 판매망 49곳, 연구소21개, 기타 90개소로 총 194곳에서 매출 118조원으로 우리나라 GDP의 7.1%를 차지하는 거대 기업이 됐다.

　오늘의 삼성전자가 있기 까지는 고 이병철 창업자이자 초대 회장의 ① 사업투신결정, ② 산업자본 전환, ③중화학공업진출, ④ 반도체사업선택, ⑤이건희 전 회장 발탁이라는 탁월한 결단이 있어 가능했다.

　그 결단이 곧 삼성그룹의 기업정신으로 깊이 스며 있으

며, 이를 성실하게 실천하는 이건희 전 회장과 각 분야에 뛰어난 인재 그리고 선진화된 기술이 바탕이 되어 지속적인 성장을 이루었다. 그는 "호황일 때 불황을, 불황일 때 호황을 준비하라, 불경기에도 돌파구는 있다"고 했다. 또 "나쁜 여건일 때 잘 하는 사람이 능력이 있는 인재다"라고 했다.

그는 항상 도전과 모험을 했다. 실패를 두려워하지 않고 매년 창업을 했다. 투철한 창조정신에 바탕을 두고 기업을 경영했다. 또 그는 정보를 기업의 생명처럼 중시했다. 한 걸음 한 걸음이 곧 인생이라고 했다.

또 이병철, 초대 회장은 남다른 경영철학을 가지고 있었다. 그는 ① 창조경영, ② 창업경영, ③ 정보화 기술을 중시한 경영, ④ 돈보다 인재를 강조한 경영, ⑤ 사회문화투자 경영, ⑥ 투철한 국가관과 기업가적 정신을 접목한 경영을 했다.

그의 경영철학을 보다 구체적으로 살펴보면

(1) 창조경영으로는 탁월한 통찰력으로 기업의 미래를 예측하는 데 뛰어났다. 1936년 마산에서 정미소를 시작, 자동차 사업, 부동산 사업 등 사세를 확장하다 부동산 사업에서 실패하고 대구로 옮겨 삼성상회를 설립, 무역업을 시작했다. 그 삼성상회가 삼성그룹의 모태가 됐다. 그 뒤 제일제당을 두 번째로 설립 설탕을 제조했다.

제일제당 공장이 힘차게 돌아가는 것을 보고 "황무지에
공장이 들어서고 수많은 종업원들이 활기차게 일에 몰두하
는 것을 보면서 기업가가 살아있다는 걸 확인하는 소중한
시간이다"라고 말했다.

　그는 돈 보다는 성취감 그리고 국가경제에 기여한다는
자부심을 중시했다. 그 후 다시 제일모직을 창업했다. 그는
실패해도 굴하지 않고 계속 도전하는 불굴의 헝그리 정신
으로 삼성을 키워나갔다.

　조국 산업화에 선구자적 기업가로 성장했다. 그는 한 업
종에 안주하지 않고 계속 사업영역을 넓혀 갔다.

　1970년대 들어서면서 삼성석유화학과 삼성중공업을 창
업 중화학에 치중했다. 또 삼성조선, 삼성정밀을 설립했다.

　일본 산요전기에서 기술을 도입 삼성전자를 글로벌기업
화의 기초 단계로 초 대규모집적회로(VLSI) 사업에 투자 독
자적인 브랜드를 내 걸었다.

　1987년 이병철 회장이 세상을 떠나기 전 3남인 이건희 전
2대 회장을 지명했다. 그는 미래를 꿰뚫어보는 안목이 탁
월했다. 무한 탐구와 무한 정신의 삶을 살았다. 한국의 경
영모델이 됐다.

　(2) 창업경영으로는 여건이 좋지 않고 시장성이 가장 낮
은 수준에 있으며, 극히 혼란한 환경에 처해 있을 때, 수십
년 미래를 보고 사업투자를 시작하라고 했다.

(3) 정보화기술을 중시한 경영으로는 1960년부터 매년 말과 초에 도쿄를 찾았다. 도쿄에서 세계의 산업흐름에 대한 정보를 수집, 새로운 사업을 구상했다. 그것이 소위 '도쿄구상'이다. 도쿄구상은 항공산업, 전자산업, 그리고 반도체산업에 투자 창업을 했다.

그리고 그는 기술을 중시했다. 기술은 곧 국력이며, "기술을 지배하는 자가 세계를 지배하는 시대에 우리는 살고 있다"며 1986년 삼성종합기술원을 설립, 매출액의 10%까지 연구개발비로 썼다. 그리고 삼성의 CEO들은 최고의 기술자가 되어야 한다며 기술의 중요성을 강조했다.

(4) 돈 보다 인재를 강조한 경영으로는 그는 "능력이 있고 장래가 촉망되는 유능한 인재를 많이 확보하는 것이 기업의 재산이며 가치"라고 했으며, 또 "물건은 줄 수 있어도 인재는 줄 수 없다"라고 할 정도로 인재를 중시했다.

또 그는 한번 믿음을 주면 끝까지 믿었다. '의심이 가는 사람을 쓰지 말고, 한 번 쓴 사람은 의심하지 말라'. 의인물용 용인물의 疑人勿用 用人勿疑가 그의 인재등용에 대한 신념이었다.

(5) 사히문화사업 투자경영으로는 카네기가 말한 '잉여재산이란 신성한 위탁물이다'라는 정신과 '공수래공수거' 정신이 바탕이 돼 한 개인이 너무 많은 것을 가질 필요가 없다'라는 일념으로 이를 실천함을 물론 기업의 사회적 책

임을 강조하고 그 일환으로 육영학술문화 장학 사업에 1965년 거액을 투자했다. 또 그는 '나라가 있음으로써 삼성이 있고, 삼성이 있기 위해서는 소비자가 있어야 한다. 그래서 잉여자산은 당연히 사회에 환원시켜야 한다'고 했다.

(6) 투철한 국가관과 기업가적 정신을 접목한 경영으로는 그가 '일본 강점기 시대 독립운동과 관료, 그리고 사업을 두고 무엇을 할 것인가' 고민을 하다. '국민에게 일자리를 제공하는 것도 애국하는 길'이라 생각하고 사업투신을 결심했으며, 사업 시작 초기 무역업을 하다 애국하는 정신으로 산업자본으로 전환했었다.

창업자이며 초대 회장의 이런 기업정신을 바탕으로 창업 반 세기만에 국내 제일이며, 글로벌기업으로 점유율 1위 제품이 D램 반도체, LCD, S램 등 12개 품목을 보유한 기업으로 성장했다. 디자인에서도 혁신을 이루었다.

이처럼 짧은 기간에 세계적인 유명한 기업 제품들을 제치고 크게 성장할 수 있었던 점은
*회장, 전략기획실, 계열사 사장으로 이어지는 삼각편대의 힘, 즉 회장이 사업을 구상하고, 전략기획실이 실천계획을 수립, 계열사 사장들이 중심이 되어 각급 임원이 실행했다.
-그룹 차원에서 새로운 사업을 발굴 포트폴리오를 조성 긴밀한

협조로 과감하게 투자했다.

　*그룹 총수의 강력한 리더십이 있었다.

　-1983년 3월 사운을 걸고 대용량 메모리반도체 사업에 진출했다.

　*유능한 인재확보와 연구개발에 역점을 뒀다.

　-핵심인력 확보실적을 월별로 확인했다.

　-유능한 인재 영입에 과감한 투자 (사장보다 3배 더 많은 보수지급)를 했다.

　*자체 기술개발에 전력하면서 주말에 산요, NPC, 코닝, 마이크론 등의 글로벌 기업 전문가를 초청 기술전수를 받았다.

　*취약한 기술과 자본극복을 위해서는 시간만이 유일한 수단으로 믿고 스피드 경영에 주력했다.

　-기흥반도체공장을 6개월 만에 건설 CDMA를 모토롤라 보다 더 빨리 상용화하여 1988년 반도체 호황을 맞았다. 그 결과가 세계 휴대폰시장을 장악했다.

　이건희 2대 회장의 선견도 숨어 있었다. 2대 전 회장은 정보화 사회가 진행되면 반도체가 반드시 필요한 사업이 될 것으로 판단, 1974년 파산에 직면한 한국 반도체를 사재를 털어 인수했다.

　1980년대 초 세계 반도체시장이 생산설비 과잉으로 재고가 누적되고 가격이 폭락 가동률이 현격히 떨어지자 기존의 선두 업체들이 생산설비투자를 감소시키는 와중에도 그룹 회장을 설득 시설을 확장했다. 확장한 시설이 가동에 들어 갈 무렵인 1987년 256K D램 품귀현상이라는 기적이 일어났다. 삼성전자는 그 기회를 놓치지 않고 계속 신기술을 개발 선두 기업과의 차를 좁혔다.

2대 전 회장의 탁월한 통찰력은 거대 기업 삼성을 그대로 두지 않았다. 미래의 시장변화를 예의 주시하며 향후 유망 사업을 선정 투자를 결정했다. 또 그는 "소비가 있는 곳에서 생산한다. 어느 나라에서 만드는 가가 아닌 누가 만드는 가가 중요한 시대가 됐다"며, 지구촌 경영을 독려했다. 이는 곧 '삼성이 만드는 제품이 세계 제일이다' 라는 자부심, 긍지 그리고 긍정의 힘을 말하고 있었다.

늑대의 속성과 같은 통찰력과 끈기와 인내, 코뿔소의 기질과 같은 밀고 나가는 힘, 그것이 오늘의 삼성을 만들었다.

1989년 회장 비서실장이 삼성전자가 이익 1조 원 달성이 약 10년쯤 걸리겠다는 말을 하자 이 전 회장은 '2~3년 이내에 1조 원을 낼 거라 생각한다' 고 했다. 그 후 3년 만인 1992년에 2조 원의 경상이익을 달성했었다. 이것이 이 전 회장의 능력이다.

2000년대 초 베드남이나 캄보디아 미혼 여성들 사이에서 '결혼상대로 삼성 애니콜과 혼다 오토바이를 가진 남자가 가장 매력이 있다' 는 말이 있을 정도로 삼성이 만든 에니콜 인기가 대단했다.

   삼성전자는 보다 많은 세계 제일의 제품을 만들기 위해 쉬지 않고 기술개발에 나서고 있다.

   삼성전자가 예측하는 미래 유망 사업과 유망 기술은 의료로봇 등으로

  *유망 사업으로는
  -인터액트브 디스플레이 컴퓨터(시각, 촉각, 청각, 후각 등 오감으로 교감).
  -스마트서핑폰, 무인모니터링시스템.
  -건강 주거 솔루션(주거공간에서 질병을 예방하고 건강 유지 관리) .
  -프로그램화된 조명시스템.
  -가상현실 시스템(바닷속 화면 등의 조작으로 바닷속에 있는 착각).
  -분산 발전, 무선 전력 전송시스템(충선 없이 노트북이나 휴대폰 등을 충전, 태양광 충전).
  -이미지기반 의료시스템(실시간 영상진단, 수술, 처치, 또는 로봇이 수술).
  -입거나 이식하는 보조기기(근력, 시력, 청력 등 3력에 대한 신체능력보조).
  -친환경운송기기(고출력전동모터와 센서, 급속충전, 고출력전지).

• 유망기술로는

-주파수 고유기술 -초소형셀기반 기지국 기술.

-직각형 UI기술.

-컴퓨터 플랫폼가상화 기술.

-친환경고효율 냉각 기술.

-초고속 저전력 반도체 소자기술.

-나노 광원기술.

-초박형OLED.

-2D와3D 전환 디스플레이.

-고휘도,고신뢰성 반도체조명.

-끊임없는 내외부 전화시스템.

-모바일 파워 제너레이션.

-에너지수집기술.

-고품질실리콘박막고속증착기술.

-고성능초 저가의료영상기술.

-모바일헬스케어플랫폼기술.

　삼성전자가 이런 예측을 내 놓을 수 있는 배경에는 이 전 회장의 탁월한 지도력과 인재 중심의 기업경영이 있었기에 가능하다. 이것이 앞서가는 기업의 모습이다. 세계 제일의 기업이 될 수 있는 근원이다.

　"삼성은 일본을 극복해야 1등이 된다"고 하며, "일본이 2

세대를 만들 때 우리는 3세대를 만들어야 한다"라며 직원들을 독려했다.

고 부가가치산업인 반도체에 세계인의 눈이 집중됐다. 반도체업계는 전쟁을 방불케 할 정도로 경쟁이 치열했다. 삼성은 후발업체로 경쟁에서 살아남기 위해 연구개발에 사운을 걸었다. 그 결과 일본이 6년 만에 개발한 제품을 6개월에 개발하는 등 계속 신제품을 출시했다.

이 전 회장은 '세계에서 1인 자가 되기 위해서는 세계 표준이던 6inch를 뛰어넘어야 한다고 판단하고 '월반전략'을 지시, 1993년 10월 메모리반도체 분야에서 세계 1위가 됐다. '월드베스트 삼성'의 꿈이 현실로 나타났다.

1994년엔 256메가 D램, 1996년엔 1기가 D램 개발로 세계 최초 양산이라는 쾌거를 달성했다. 뿐만 아니라 반도체를 바탕으로 휴대폰 분야에서도 급성장, 노키아에 이어 세계 2인자가 됐다.

삼성은 휴대폰 생산 초기 불량제품 때문에 소비자로부터 신용이 추락하자 1995년 3월 9일 구미공장 직원 2,000명이 모인 자리에서 휴대폰과 팩시밀리 등 15만대 500억 원 어치를 잿더미로 만드는 화형식을 가졌다. 그것이 변곡점이돼 분할다중 접속디지털 휴대폰 상용화에 성공, 2007년에 글로벌 시장에서 제 2인 자가 되는 쾌거를 이루었다.

삼성은 이외에 LCD TV도 세계 제일의 기술력을 보유했다. 이렇듯 삼성전자가 글로벌기업으로 성장하기까지에는 창업주인 초대 회장, 이 전 회장, 그 외 CEO 강진구 삼성전자 회장, 김광호, 윤종용, 이기태 등 부회장들이 있다.

삼성은 그것으로 만족하지 않고 계속 변신하고 있다. 그 변신을 위해 삼성전자의 파워엔진역할을 하는 수원 사업장을 '삼성디지털시티' 로 만든다는 선포식을 2009년 11월에 기흥 본사에서 가졌다.

태양전지, 바이오, 로봇에서 제 2의 반도체 신화를 쓴다는 각오를 다지고 1등을 지키기 위해 새로운 시장 창출, 경영 구심력 재 구축이라는 과제를 안고, 벤치마킹할 선두 사업자가 없어진 점, 늘어나는 경쟁업체 견제, 새로운 시장(차세대 사업) 창출, 구심력 재 구축 및 경영승계, 국제화(코리안 컴퍼니 한계극복) 등 새로운 고민을 놓고, 지난 40년을 반성하고 다가오는 또 다른 40년을 향해 뛰고 있다.

1997년 우리나라가 IMF로부터 구제 금융을 받을 당시 이 전 회장은 '삼성이 생산성 향상으로 얻어지는 이익을 직원들 보수로 돌려주겠다' 고 약속을 했다. 그러면서 최대한 능력발휘를 해 주도록 독려했다. 그리고 협동과 희생정신을 강조했다. 그 결과 제 2 도약의 발판을 만들었다.

이 전 회장은 위기를 기회로 만들었다. 그에게는 위기를 기회로 만든 27가지 성공 스타일이 있었다.

27가지 성공 스타일의 내면을 종합해 보면 늑대의 근성을 빼 놓을 수가 없었다. 그는 예리한 통찰력, 끈기와 투지, 협동과 희생정신이라는 늑대의 근성이 있었기에 삼성이 국내 최대 기업이 됐다. 뿐만 아니라 세계적 기업으로 성장할 수 있었다.

오늘의 삼성 그룹으로 성장시킨 이 전 회장도 '청년시절 한 때 방황을 했었고, 40대에 접어들어서야 서서히 변화하기 시작했었다.

그는 40대에 삼류의 기질을 벗어나기 위해서 지독하게 공부를 했다. 새로 시작하는 공부를 하느라 1분 1초도 허투루 보내지 않았다. 그 결과 '전자, 우주항공, 자동차 엔진공학 등에 전문가 수준에 이르게 댔다' 라고 했다.

초 일류 경영자로 변신을 했다. 그렇게 변신이 가능했던 것은 끈질긴 도전정신이 있었고, 거기에 체계적인 실천이 뒷받침 되었다.

이건희 회장은 미국에서 개최되고 있는 전자제품전시회를 돌아보는 자리에서 "정신 바짝 차리지 않으면 10년 후에는 삼성도 구멍가게 된다", "자기 위치를 지켜야 21세기를 이겨낸다"라고 그룹 내 임직원에게 강한 메시지를 남겼다. 그는 현실감각이 탁월함은 물론 뛰어난 통찰력으로 미래를 예측하는 능력이 남다르다.

성공에 대한 강한 집념과 포기하지 않는 끈기가 있다. 그것이 오늘의 삼성그룹이 있게 된 배경이다.

포착한 기회 꼭 잡아라

　기회는 자주 오는 것이 아니다. 기회다 싶으면 놓쳐서는 안 된다. 늑대는 조급하지 않고 기회가 오기를 기다릴 줄 안다. 사물을 보면 뛰어난 통찰력으로 기회를 포착한다. 그리고 절대로 놓치지 않는다. 먹잇감을 사냥하기 위해 며칠씩 감시를 하고 관찰을 한다. 간교함으로 철저히 위장도 한다. 쓸데없이 먹잇감을 쫓거나 괴롭히지도 않는다.

　사람 또한 산다는 것, 늘 즐겁고 행복한 기회만 있는 것 아니다. 때로는 괴롭고 힘들 때도 있다.

　행복도 불행도 혼자서 따로따로 다니지 않는다. 불행과 행복은 함께 다닌다. 괴롭고 힘든 때를 견디고 이겨내면 반드시 행복이 온다.

　가뭄은 산과 들에 자라고 있는 나무나 풀 등 식물들로써는 생명에 위협을 받는 큰 시련이다. 그러나 가뭄은 또 다른 한편으로는 기회다. 가뭄을 이겨내기 위해 땅속 깊이 뿌리를 뻗는다. 살아남기 위한 발버둥이다. 그래서 필요한 물과 영양분을 얻을 수 있다.

가뭄 때문에 튼튼해진 뿌리로 풍성한 영양분과 넉넉한 물을 많이 섭취할 수 있다. 더 빠르고 크게 성장할 수 있다. 이렇듯 시련은 행복을 가져다 준다. 인간도 마찬가지다. 우리 속담에 '고생 끝에 낙이 온다'는 말이 있다.

또 존 키츠는 '새벽은 깊은 밤으로부터 시작된다'라고 했다. 깊은 밤이 없는 새벽이 있을 수 없다. 깊은 밤은 활동을 멈추게 한다. 멈춤은 에너지를 저축하고 새로운 에너지를 생성한다. 그러나 멈춤은 하나의 시련이다. 그렇듯 시련 없는 행복이 없다.

시련이 누구에게나 오듯이 기회도 누구에게나 온다. 기회를 놓쳐서는 안 된다. 기회를 놓치지 않기 위해서는 늑대의 예리한 통찰력이 필요하다. 그리고 그 기회를 포착해야 한다. 목적이 달성되기 전까지는 절대로 포기하지 말아야 한다. 끈기와 인내로 성취해야 한다.

보다 낳은 삶을 위해서는 늑대의 속성을 지녀야 한다.

기회포착에는 결단이 필요하다

기회를 포착했다고 생각되면 머뭇거리지 말고 가급적 빨리 결단을 내려 실행하여라, 무엇이나 적절한 시기가 있다. 그 시기를 놓치면 성공의 확률은 낮아진다.

한국의 유수기업인 K화학에 입사한 K씨가 입사 1년 만에 회사에 사표를 내 던졌다.

K씨는 K공업전문학교를 졸업하던 해에 K그룹에 입사했다. 막상 입사하고 보니 말단 그것도 신참 사원으로 스스로가 판단하여 할 수 있는 일이라고는 아무것도 없었다. 상사나 선배 동료들이 시키는 일만 했다.

어떤 상사는 자기가 할 일은 말할 것도 없고 개인 심부름까지도 시켰다. 거절하지 못하고 해 주는 직장 풍속 때문에 불만이 있어도 내색하지 못하고 참고 했다. 또 나이와 상관없이 하대하는 것은 다반사였다. 그 나마도 '반말은 양반

이고 야·자로 시작 야·자' 로 끝냈다. 인격을 존중하는 태도란 찾아 볼 수가 없었다.

K씨는 아무리 생각해 보아도 미래가 보이지 안했다. 무엇보다 인간으로써 존엄성을 찾아볼 수 없는 점에 대해 환멸을 느꼈다. 이렇게 직장생활을 할 바엔 구멍가게라도 내 장사를 해야겠다는 생각을 했다. K화학에서 상사나 동료들에게 하듯 내 가게를 찾아오는 손님에게 친절하고 열심히 하다보면 성공하지 않겠느냐는 확신을 했다.

생각 끝에 회사에 사표를 냈다. 그리고 Y시내 중심가에서 내 놓아라 하는 룸살롱 웨이터로 일을 시작했다.

웨이터 생활 2년여 만에 귀인의 도움으로 시내 중심가를 조금 벗어난 곳에 세를 얻어 조금한 룸살롱을 시작했다. 사장이 됐다.

룸살롱은 장소도 중요하지만 신용과 친절이 곧 생명이다. 그래서 친절을 최 우선으로 했다. 순 이익이 떨어지는 한이 있어도 안주로 내 놓을 음식을 깔끔하고 푸짐하게 준비하여 품위가 있어 보이도록 모양도 부렸다.

도우미 아가씨들도 예의를 최대한 갖춰 손님들에게 실수하는 일이 없도록 철저히 교육을 시키고 수시로 점검 손님들로부터 평판이 좋은 도우미는 특별히 수당을 주고 유급 휴가도 보내줬다.

예약을 원하는 단골 손님이 늘어났다. 예약되지 않는 손님은 아예 받지 못 하는 날이 많았다. 불과 1년여 만에 업소 규모를 키워 목이 좋다는 중심가로 장소를 옮겼다. 몇 년 동안 성업 덕분에 빌린 돈을 모두 갚고도 여유 돈이 생겼다. 여유 돈으로 땅을 사서 건축도 했다. 선상 레스토랑, 여관, 커피숍 대형음식점 등 사업을 다변화했다.

40대 초반에 상당한 재력가가 되었다. 돈 자랑하지 말라는 Y시에서 젊은 사업가 K씨 하면 누구나 알아주는 부자가 됐다.

K씨는 친절을 최우선으로 하고 특별히 신용을 중시했다.

늑대와 같이 강인한 투지력으로 무슨 일이나 계획을 하면 차질 없이 추진했다. 그리고 성공을 항상 꿈꾸었다. 꿈꾸는 일을 성공시켰다.

또 대만 사람 정위안창 씨도 술집 웨이터를 하면서 1997년 장동건이 출연한 한국 드라마 '모델'을 보고 영화배우가 되겠다는 꿈을 갖게 되었고 그 꿈을 키웠다.

정위안창 씨는 어렸을 적 부모가 이혼을 하면서 생활이 어려워 온갖 허드렛일을 했다. 술집 웨이터로 일할 때는 술집 손님과 사장의 안색을 살피며 표정연기를 연습했다. 사람들의 행동을 관찰하는 것을 즐겼다.

결국 그는 모델이 됐다. 그리고 영화배우가 됐다. 아시아 최고의 인기 배우가 됐다. 연기를 하면서도 끊임없이 변신을 시도했다.

연극무대 배우로도 활동 중인 그는 드라마와 광고 등 출연으로 많은 돈을 벌었다.

그러나 어렸을 적 배고픔으로 다져진 근검절약 정신은 그를 구두쇠로 만들었다.

정위안창 씨는 돈을 써야 할 때와 쓰지 말아야 할 때를 철저하게 구분하여 행동했다.

K씨나 정위안창 씨나 그들은 하고 싶은 일을 선택하는데 용기가 있었다. 그리고 치밀한 계획을 가지고 준비에 게으르지 않았다.

기회를 놓치지 않았다. 끈기와 인내로써 최선을 했다. 그 결과 그들은 성공할 수 있었다.

성공하기 위해서는 반드시 꿈꾸는 목표가 있어야 하고, 그 목표를 이룰 용기와 투지가 필요하다. 그런 것들이 함께 어울러졌을 때 하고자 하는 일을 이루게 될 것이다.

사업시작 25년 만에 세계 패션계 돌풍을 일으킨 야나이다다시

20세기 말 일본을 중심으로 세계 패션계에 야나이다다시 패스트테일링 그룹 회장은 25년 전 아버지가 경영하다 위기를 맞아 망해 문을 닫아야 하는 점포를 물려받아 희피생활을 청산하고 사업가로 변신했다.

그가 사업가로써 변신, 성공한 비결을 조명해 본다면, 야나이 다다시 회장은 평소 "불가능도 계속 도전을 하면 이뤄진나"라는 소신을 가지고 있었다.

그는 "옷도 매일 먹는 밥처럼 생필품인데 왜 항상 유행을 따라야 할까? 옷도 라면이나 식품처럼 편의점 같은 곳에서 싸고 간편하게 살 수는 없을까" 라는 의문을 가졌다. 그 생각 끝에 1984년 히로시마에 편의점 같은 옷가게를 냈다. 그것이 유니클 1호 점이었다.

• 야나이다다시 회장은 유니클 1호점 상품을

* 서민들 생활에 반드시 필요한 저렴하고 실용적인 면바지와 셔츠, 기본형 재킷, 스웨터, 양발, 속옷 등을 색상과 싸이즈 별로 가지런히 늘어놓았다. 가격은 1,000엔 미만이 대부분이었다.

* '싸구려는 나쁘다' 라는 인식을 불식시키기 위해 제조생산에서 판매까지를 전담 원가부담이 가장 큰 유통마진을 없애, 질은 좋으면서 가격은 저렴하게 시장에 내 놓았다.

그 결과 사람들이 식품가게에서 식료품을 구입하듯 면바지와 셔츠를 사갔다. 한 벌이 아닌 몇 벌씩 한꺼번에 구매를 했다. 양발은 색상별로 대량 구매를 했다. 또 야나이다다시 회장의 의류제조판매전문점, 패스트패션, 즉 SPA탄생으로 전 세계 패션업계에 뜨거운 이슈로 떠 올랐다.

야나이다다시 회장은 "옷은 멋스럽게 잘 입어야 한다는 상식을 깨고 싶었다. 옷은 패션이 아니다. 그저 생활필수품일 뿐이다" 라는 점을 내세웠다. 뿐만 아니라 2000년에는 불황극복을 위한 아이디어 상품으로 '플리스' 의류를 출시, 불황을 호황으로 활용 기업을 보다 더 성장시켰다.

플리스는 화학섬유인 폴리에틸렌을 양털처럼 부드럽게 만든 원단이다. 야나이다다시 회장은 불황 때 대부분 사람들이 생활비를 아끼기 위해 난방비를 줄일거라 예상, 그 사람들을 위해 플리스 원단으로 보온용 의류 등 제품을 만들어 시장에 내 놓아 상상을 초월한 판매로 일본 내 업종 내에서 선두로 부각 각광을 받았다.

유니클은 2008년 세계적인 금융위기로 몰아닥친 불황에도 야나이다다시 회장은 제 2의 플리스라 할 수 있는 보온 내의 '히트텍' 을 내 놓았다. 출시와 동시 수요가 폭발했다. 대량 판매로 사상 최대의 영업 이익을 얻었다. 일본 최고 부자가 됐다. 언제나 불경기는 그에겐 기회였다. 두 번의 불황은 두 번의 호기였다. 그의 꿈은 일본 시장을 뛰어 넘어 세계 시장에서 1위가 목표다.

야나이다다시 회장의 도전 정신은 예리한 통찰력으로 기회를 호시탐탐 노려 면밀한 분석과 치밀한 계획으로 꺾일 줄 모르는 도전 정신을 가진 늑대의 근성과 같았다. 그는 그런 근성을 바탕으로 쉬지 않고 도전을 했다. 또 그에게는 남다른 생활 철학이 있었다.

그것을 살펴보면

*9패 1승론을 갖고 있었다. 기업을 하다 보면 10전 10승을 할 수는 없는 일, 그래서 9패를 하더라도 계속 도전을 해서 1승을 거두는 게 중요하다는 지론이다. 실패를 해도 좌절하지 않으면 또 다시 승리할 수 있다는 얘기다.

*불가능 해 보인 일도 하고 싶다는 마음만 있으면 계속 도

전하고 또 도전하면 언젠가는 이룰 수 있다. 안 된다는 마음, 희망을 저버리는 마음을 갖지 않아야 한다.

*낙천적인 성격을 갖고 고민하지 않는다. 자신 있는 일은 열심히 하되 할 수 없는 일은 과감히 포기하고 실패를 인정한다.

*세븐 투 파이브(아침 7시 출근, 오후 5시 퇴근)를 철저하게 지킨다. 이른 아침 맑은 정신으로 일할 때 일하고 잔업 없이 마친다.

*술, 담배, 밤 문화 등 건강에 좋지 않는 것은 일절 하지 않는다.

*자식들에게 기업을 물려줘서는 안 된다. 경영은 회사를 가장 잘 이끌만한 사람이 해야 한다.

*인재를 중시해야 한다. 오늘 새로 들어온 아르바이트생이 능력이 있어 나중에 사장이 될 수 있다면 얼마나 멋진 회사인가, 그런 좋은 구조를 가진 회사라면 좋은 인재가 반드시 많이 들어올 것이다. 그런 회사를 만들어야 한다.

*경영인은 오픈 마인드를 가져야 한다.

패기 없는 젊은이 보면 부아가 치밀어 올라

"요즘 젊은 직장인들을 보면 솔직히 부하가 치밉니다. 컴퓨터 앞에 앉아 있는 시간이 늘어나서 그러는지 도무지 패기가 없다. 20대는 20대에 맞게 생각하고 행동해야 하는 데도 50대 중장년처럼 몸을 사리고 벌써부터 은퇴 후를 걱정하고 있지를 않나?"

사메시마 후미오 일본 태평양시멘트 회장의 말이다. 패기 없는 젊은이는 열정이 없다는 말로 바꿔 표현할 수도 있다.

열정은 성공을 가능케 한다. 결국 성공은 열정을 담보로 한다.

젊은이가 패기가 없다는 것은 열정이 없고 성공의 가능성이 없다는 말이 된다. 그런 사람을 사메시마 후미오 회장뿐만 아니라 누구도 좋아할 사람이 없다.

프랑스의 철학자이자 평론가인 알랭은 "대망이란 사랑에 지지 않을 만큼 격렬한 욕망으로 좋은 미래를 내다보는 것이다"라고 했다. 인간에게 사랑만큼이나 중요한 것이 없다. 그런데 큰 꿈이 곧 사랑에 지지 않을 만큼 중요하다고 했다. 패기·열정이 없는 사람에게 꿈이 있을 수 없다. 꿈은 곧 성공이다.

　미국의 사상가 에머슨은 "성공이란 무엇인가? 그것은 원대한 꿈의 또 다른 이름이다." 이렇게 말했다.

　사메시마 후미오 회장은 태평양시멘트에 입사하고 3년째 되던 해에 불황을 당했다. 당시 회사 자금 담당을 했다. 은행들이 신규 자금 대출을 중단하고 또 빌려준 돈을 회수하였다. 그러자 회사가 극심한 자금난을 겪게 되었다.

　사메시마 후지오는 거래은행들을 찾아다니며 사장을 보지 말고 나를 보고 자금을 풀어달라고 호소를 했다.

　입사 3년 밖에 안 된 사원의 두둑한 배짱을 믿었던지 어떻던 은행들이 자금회수를 중단한 덕택에 태평양시멘트는 고비를 넘겼다.

　사메시마 후지오 회장은 대학 1학년 겨울방학 때 도쿄 니혼바시에서 출발, 고향인 규슈 최남단의 가고시마까지 무려 1,400km를 자전거로 횡단 배짱과 인내, 끈기를 키웠다. 불굴의 의지를 길렀다. 자전거 횡단 이후 어떤 난관이 닥쳐도 헤쳐 나갈 수 있다는 자신감을 얻었다.

사메시마 후지오 회장은 "젊었을 때 고생은 남은 인생의 값진 경험이 된다. 컴퓨타 앞에 앉아 있지만 말고 드높은 세상으로 나가서 진취적으로 삶을 개척하라"고 주문을 했다.

혹자는 살기 좋은 세상이라고 한다. 살기 좋다고 하는 것은 과학의 발달로 인간이 필요로 하는 물질이 풍부해졌다는 것이고 가진 자들에게 적합한 말이다. 가진 것이 부족한 사람들에게는 오히려 더 없이 고달픈 세상이다. 이런 세상에 양과 같이 온순해서는 안 된다.

유약하고 안분수족하는 양의 속성을 떨어내고 예민한 통찰력으로 기회를 만들어 용맹하게 싸우면서 목적을 달성하기 전까지 결코 포기하지 않는 끈기를 길러 잔인한 경쟁에서 지지 않는 강인함을 갖추어야만 생존할 수 있다는 것을 알아야 한다.

성공을 위해서는 유약한 양보다는 지혜로운 늑대가 돼야 한다.

사메시마 후지오 회장은 "예민한 통찰력으로 사물을 보며 인내로 때를 기다리고 사전에 철저히 준비를 하되 절대로 서두르지 말라고 했다. 또 이러한 실천이 있었을 때 성공할 수 있으며, 그런 사람이 돼야 높은 가치평가를 받게 된다"라고 했다.

나는 돈까스를 지독히도 싫었던 별명의 여인

"바벨을 들어 올릴 때마다 이를 악 물며 그 별명만 떠 올렸다." 뚱보 그는 해 냈다. 화장도 하고, 연애도 하고 싶은 감정을 누르고 금빛 메달만 생각하고, 115kg의 몸을 만들기 위해 피나는 노력을 했다. 그 결과 인간의 능력이 무한함을 입증해 주는 사건이 2008년 중국 베이징하계올림픽 여자역도경기 중 체중 75kg 이상급 경기에서 우리나라 장미란 선수가 세계 기록을 다섯 차례나 갱신했다.

인상 140kg, 용상 186kg, 합계 326kg으로 2위보다도 무려 49kg을 더 들어 올렸다.

베이징하계올림픽에서 과연 300kg의 벽을 깰 수 있을까, 관심은 거기에 집중되어 있었다.

장미란은 너무 쉽게 들어 올렸다.

세계를 번쩍 들어 올린 괴물이 되었다. 그 괴물 같은 힘의 원천은 늑대의 속성으로 단단히 무장이 되어서 가능했다. 무엇이나 그렇지만 역도도 특별한 기술이 필요하다. 예리한 통찰력에 의해 순간적으로 기회를 포착하는 능력, 포기할 줄 모르는 끈기로 힘을 한 곳으로 집중시키는 기술이 필요하다.

장미란은 강한 늑대의 속성으로 훈련되어 있었다.

목표를 세워 도전하면 성공할 때까지 포기하지 않고 수없이 반복을 하는 끈기를 지녔다.

2009년 5월 언론에 편지를 보냈다.

"훈련에 전념하고자 소속팀인 고양시청이 주최하는 꽃박람회에도 불참한다고 통보를 했는데, 사전에 협의도 하지 않은 행사에 제가 참석한다는 보도가 나올 때는 정말 마음이 아팠습니다. 저는 운동하는 선수입니다. 최선을 다해 훈련하고, 최고 기량을 갖춰 좋은 성과를 얻는 것이 한결같은 마음으로, 저를 응원해 주시는 국민여러분께 보답하는 길이라고 생각합니다."

이 편지는 곧 최강자의 자리를 지키기 위한 의지를 나태낸 것이며 강한 성취욕, 승부자적 기질, 성공에 대한 무한한 욕망을 엿볼 수 있다.

그 결과 그는 2009년 11월 28일 고양 세계 역도선수권대회에서 또 하나의 세계 신기록을 달성했다. 용상과 합계 부분에서 제 1인 자가 됐다.

장미란은 "운동선수는 자기 존재를 오직 운동으로 말해야 한다."라는 확고한 신념을 가지고 있다. 그 결과 장미란의 끈기는 세계를 들어 올렸다. 그래서 본인은 물론 국가의 가치를 높였다. 그리고 세계 여자역도사에 한 페지를 남겼다.

빌 그린 엑센츄어 회장

세계적인 컨설팅기업 빌 그린 엑센츄어 회장이 "인재를 중시하는 기업만이 장수할 수 있으며 인재관리가 기업경쟁력의 핵심"이라고 했다. 또 "인재의 중요성은 기업들에게도 발등에 떨어진 불"이라고 경고했다.

빌 그린 엑센츄어 회장이 세계적인 기업 6,000여 개를 대상으로 조사한 결과 그 중 500여 개 기업만이 10년 이상 탁월한 경영실적을 유지하고 있었으며, 그 기업들은 훌륭한 시장 포지션과 차별화된 기술, 탁월한 능력을 가진 인재를 중요시 하는 조직문화라는 공통점을 가지고 있었다.

과학의 발달로 어제의 기술이 오늘은 쓸모가 없게 되고, 지식 또한 초 스피드로 달라져 어느 때 보다도 변화에 적합한 기술이 중시되고 뛰어난 재능과 능력을 가진 인재가 필요하다.

장수기업이 되기 위해서, 보다 성장한 기업을 위해서 인재를 잘 관리해야 한다. 빌 그린 엑센츄어 회장은 인재관리 성공의 다섯 가지 요건을 이렇게 말하고 있다.

• 경영전략 중심의 인재관리 전략 마련
• 다양한 인재확보
• 기술개발
• 몰입(조직충성도 제고)
• 교육훈련과 협력분위기 조성을 이루어야 한다.

"이러한 조건의 인력관리가 성공했을 때 기업이 성공한다"고 했다. 성공을 위해서는 반드시 인재를 중시해야 한다.

여기서도 인재를 찾을 수 있는 통찰력이 있어야 한다. 조직을 위해 자신을 포기하고 협력할 수 있는 희생정신이 있어야 한다. 목표달성을 위해 포기하지 않는 끈기가 있어야 한다.

빌 그린 엑센츄어 회장이 말하는 인재를 중시하고 인력관리를 잘 해야 한다는 것도 결과적으로 늑대의 기질이 필요하다는 것이다.

맨체스터유나이티드

세계적인 축구명문 '꿈의 팀' 스페인 레알마드리드나 영국의 맨체스터유나이티드축구팀을 축구를 좋아하는, 축구에 관심이 있는 사람이라면 안다.

레알마드리드나 맨체스터유나이티드 축구팀이 세계인의 관심을 끄는 것은 승부욕이 강하면서 스릴이 있는 경기를 잘 하는 팀이기 때문이다.

승부욕이 강하고 잘 한다는 것은 공을 잘 차는 크리스티아누 호날두, 호나우두, 카카, 지네딘 지단, 루이스피구, 데이비드 베컴, 곤살레스, 라울, 라니, 긱스, 루니, 벤제마, 박지성 같은 세계적인 선수들이 모였기 때문이다.

축구를 하는, 공을 잘 차는, 탁월한 인재들이 포진을 하고 있다는 것이다. 공을 잘 찬다는 것은 경기장에서 공의 낙하 위치를 잘 파악, 기회포착을 잘 하고 승리를 위해서 포기하지 않는 투지와 끈기가 강하고 팀 내 선수전원이 운동장에서 일사분란하게 움직일 수 있는 강한 협동심이 있고 때에 따라서는 자기희생으로 팀에 공헌하는 늑대의 기질이 강한 선수들로 구성되어 있어서다.

뿐만 아니라 알렉스 퍼거슨 감독의 지도력과 용병술이 뛰어난 가운데 맨체스터유나이티드를 이끌고 있는 데이비드 길 CEO의 탁월한 경영이 맞아 떨어져 세계 제 일의 스포츠기업으로 브랜드 가치가 2009년 기준 18억7천 만 달러였다.

• 데이비드 길 회장의 경영 전략은

*해외 팬까지 감동시키는 '고객중심' 경영을 한다.

*축구클럽의 전통, 인기, 스토리 등을 상품으로 만들어 파는 노하우를 가지고 있다.

*철저한 파트너사 관리와 파트너사와 함께 세계 시장을 공략하는 '윈윈경영' 을 한다.

*유망선수를 길러내는 인재경영시스템을 갖춘다.(스타 플레어를 영입하지 않고 유망주를 발굴하는데 집중)

이와 같이 맨체스터유나이티드는 선수, 감독, 경영자 모두가 늑대와 같은 근성이 뛰어났다. 늑대의 기질은 개인 한 사람 한 사람의 성패와도 관계되지만, 팀의 승리에도 필요하다. 승리를 위해서는 반드시 늑대의 근성이 필요하다.

특히 운동경기는 늑대의 근성이 강한 자가 승리하게 되어 있다. 그것을 경기결과가 증명해 주고 있다.

굴뚝 없는 공장

굴뚝 없는 공장이란 사전에도 없는 말이다. 공장이란 근로자가 기계 등을 사용하여 물건을 가공 제조하거나 수리 정비 하는 시설 또는 건물을 말한다.

그럼에도 사람들은 흔히 화가, 조각가, 음악가, 문학가, 연극영화, 각 분야 엔지니어, 운동선수, 법률가, 은행가, 회계사, 학자, 관광지 등등을 일컬어 굴뚝 없는 공장이라고 말하기도 한다.

과거 농경문화시대에서는 경작할 수 있는 영토가 넓어야 하며 지하자원 등 자연자원이 풍부해야 하고, 거기다 싸움 능력이 뛰어난 국민이 많아야 강대국이 되었다.

그러나 18세기 영국에서 시작된 산업혁명에 의해 기계문명이 발달하면서 부터는 굴뚝산업에 의해 많은 제품을 만들어 물자가 풍부해야 강대국이 됐다. 그렇지만 이제는 굴뚝산업에 의해 부를 누리는 것도 한계에 부딪쳤다.

지하자원을 이용한 굴뚝산업의 미래는 불투명해졌다. 반면 굴뚝산업 이외의 산업 또는 직업인, 서비스산업, 화가, 예술가, 문학가, 운동선수 등이 부를 누리는 시대가 왔다.

*골프 황제 우즈는 2009년도까지 누적수입이 10억 달러를 돌파했으며, 농구의 마이클 조든도 8억 달러, 자동차 경주의 미하엘 슈마허도 7억 달러를 돌파, 스포츠 재벌이 됐다.

*화가 피카소의 작품 등 유명작가들의 작품이 수 백 억 원대에 이르고 미켈란젤로의 조각 등도 수십 또는 수백억 원에 거래되며 해리포터와 같은 소설책이 수천억 원대의 판매고를 올렸다.

*또 수백억 원의 출연료를 받는 마이클 잭슨 같은 가수도 있으며 욘사마와 같은 영화인이 있다. 그 외에도 수백억 원대의 연봉을 받는 은행가 등 서비스업계 전문가들이 수없이 등장하고 있다. 그들이 굴뚝 없는 공장이다.

*새로운 기계를 발명 특허사용료 또는 기술료를 받는 것도 굴뚝 없는 공장이다. 굴뚝 없는 공장은 오염물질을 배출

하지 않아서 좋다. 또 굴뚝 없는 공장은 무한한 부가가치를 창출하는 것도 특징이라면 특징이다. 이런 굴뚝 없는 공장은 수 없이 많다.

*영국의 축구구단 맨체스터유나이티드는 스포츠기업으로 브랜드 가치는 2009년 상반기 기준으로 18억7천 만 달러로 축구클럽 세계 1위다. 2위는 레알마드리드로 13억5백 30만 달러다. 그런 스포츠구단들은 포드자동차나 네슬러에 못지않는 굴뚝 없는 공장이다.

*또 한국영화 겨울연가의 주인공 배용준(욘사마)이 몇 년째 일본 사람들로부터 대단한 인기를 얻고 있다. 〈겨울연가〉 영화와 배용준 뿐만 아니라 영화촬영지 강원도 춘천에 위치한 남이섬이 국제관광지로 변모, 연간 20만 명 이상이 찾는 명소가 됐다.
또 겨울연가와 배용준의 인기는 그것으로 끝이지 않고 지난 9월 30일 배용준이 참가한 일본 도교돔에서 있었던 〈한국의 아름다움을 떠나는 여행〉이라는 책 출판기념회 겸 '한국방문의 해 선포식'에는 배용준을 보기 위한 관중이 5만 명이 몰려 성대히 거행되었다. 과히 열광적이었다.
그리고 배용준의 책은 8억 원의 선 인세를 받을 정도로 인기를 누렸다. 배용준은 2004년에도 화보집을 발간해 20

만 부를 팔아 300억 원의 매출을 올리기도 했었다.

이렇게 굴뚝 없는 공장이라 불리는 예술이나 기술, 또는 운동선수, CEO, 관광시설 등의 경제적 효과는 상상을 초월할 수 없이 클 뿐만 아니라 굴뚝 공장과 같이 환경오염을 유발한다든지 하는 제 2의 문제가 야기되지 않는다.

무엇 보다도 이 분야에 관심과 투자가 이루어 져야 할 것으로 보아진다.

정부 뿐만 아니라 기업이나 국민 모두가 함께 했을 때 굴뚝 없는 공장의 효과는 극대화 될 것이다.

명품 가전업체 밀레의 성공 비결

각 분야에서 기술의 변화가 초 스피드하게 이루어지고 있다. 어제의 기술과 지식이 오늘은 무용지물이 되어 버리는 이런 상황에서 살아 남으려면 업종도 제품도 계속 진화돼야하고 특화해야 한다는 것쯤 새삼스럽게 말하지 않아도 누구나 다 아는 사실이다.

그러나 사람들은 그것을 알면서도 이런저런 사유로 실천하지 못하고 지나쳐 버린다. 그것이 변명 아닌 현실이다.

특화한다는 것 말로는 쉽지만 실제 행동은 쉽지 않다. 그런 가운데에도 46년이란 세월 동안 명품가전을 생산 전 세계에 44개 지사를 두고 있는 글로벌기업인 독일의 '밀레' 라는 가전업체가 미래의 소비자 성향을 예측 그에 적절하게 특화 성공했다. 또 성공의 끈은 계속 이어져 가고 있다.

밀레가 명품가전으로 불황도 모르고 지속적으로 성장한 원인이

* '가전은 색' 20년을 써도 질리지 않아야 한다' 라는 기본원칙을 갖고 손잡이 부터 유리색조까지 색상과 디자인이 동일한 가전기기들이 주방에 들어서고 점차 거실과 한 공간으로 통합돼 갈 것으로 예상, 가전에는 순백색이나 은은한 금빛처럼 영원한 가치를 지니는 색상을 선택 전체적으로 아늑한 느낌 을 갖도록 했었다.

* '가격 싸움에는 관심을 갖지 않았다' 오직 혁신, 질, 내구성, 애프터서비스만 중시했다.

*다른 브랜드와의 차별화를 위해 백화점에도 반드시 독자 매장을 설치하고 대형 할인점에는 입점하지 않았다.

*철저한 가족경영을 실천하고 은행대출 등 부채 없는 경영을 하며, 증권시장에 상장도하지 않았다. 반면에 단기 실적 같은 일에 무리하지 않았다.

*인재를 중시 유능한 직원이 장기근무 할 수 있도록 근무환경을 조성하여 회사에 대한 충성심을 높였다.

밀레는 시장에 대한, 소비자의 심리에 대한, 예리한 관찰과 판단으로 수요자가 공급을 발생시키는 것이 아닌 공급자가 스스로 수요를 창출하도록 하여 시장을 지배했다. 노사가 배려와 협동정신으로 뭉쳐 일류기업이 됐다.

린Lean 경영

맥도널드와 던킨도너츠가 세계의 커피전문서비스산업을 완전히 장악하고 있는 것도 불구하고, '스타벅스'가 커피전문서비스시장에 새로 진입했다. 사업을 시작하고 얼마 뒤 세계경제가 불황에 빠졌다.

새로 시장에 진입하는 후발업체 스타벅스가 맥도널드나 던킨도너츠의 기존고객을 빼앗는 것이 결코 쉽지 않을 것으로 예상했었으나, 고객들의 반응은 예상보다 훨씬 냉정했다. 시장 점유율이 좀처럼 올라가지 않은데다 매장운영에 따른 비용과다로 회사설립 후 곧 바로 경영난에 직면했다.

스타벅스의 스콧 헤이든 부사장은 위기극복을 위해 일본 자동차제작사 도요타가 채택 운영했던 '더 빨리, 더 효율적으로'라는 경영시스템 '린' 방식을 도입, 커피 제조과정에 적용했다.

　스콧 헤이든 부사장은 린 팀을 만들어 운영하였다. 린 운영으로 스타벅스는 커피 한 잔 타는 시간을 2초 줄였다. 프라푸치노의 경우는 8초를 줄였다. 스타벅스는 매장에서 커피를 카운터 아래에 놓아 둔 위치를 카운터 맞은편으로 옮겨 종업원이 커피를 꺼내기 위해 허리를 구부린 시간과 에너지 소비를 절약하였다.

　이로써 매장 직원들의 불필요한 움직임을 최소화하였다. 또 다양한 종류의 커피 통을 쉽게 식별할 수 있도록 외벽에 색깔을 달리한 스티커를 붙여 직원들이 한 눈으로 알아보기 쉽게 했다. 그렇게 개선한 결과 매장에서 커피를 제조해 주는 직원이 하루에 걷고, 꺼내고, 구부리는 움직임이 3분의 1만큼 줄었다.

　결과적으로 하루 3명이 일하는 매장에서는 1명을 줄여 인건비를 절약할 수 있었다. 이로써 낭비되는 시간과 물자가 줄어 원가가 낮아졌다. 생산성이 높아지고 고객이 기다리는 시간도 단축됐다.

　인건비를 절감 커피의 질을 높여 기존업체들과 당당하게 경쟁할 수 있었다. 커피 질을 높이고 서비스를 개선하자 고객이 늘어나 매출이 증가했다.

　사소한 것 같은 작업환경개선이 기업의 성패를 좌우했다. 맥도널드와 던킨도너츠와 경쟁에서 당당하게 이겨 낼 수 있었다.

　스타벅스의 스콧 헤이든 부사장은 위기를 극복하기 위해 뛰어난 통찰력으로 경기흐름과 생산비 원가분석을 통해 비용을 절감하고 작업환경을 개선하여 효율적인 경영으로 상품의 질을 높여 불황을 타파 성공을 이끌어 냈다.

처칠의 위기극복 리더십

위기는 언제나 있다. 다만 노출되지 않고 잠복하고 있기 때문에 그냥 지나쳐 버릴 뿐이다. 그러나 언젠가는 반드시 맞이하게 돼 있다. 그 위기를 극복하기 위해서는 용기와 성실 그리고 비전이 필요하다.

세계 제 2차 대전이 한창일 때 영국을 승리로 이끈 '불멸의 불독' 윈스턴 처칠의 위기극복, 즉 전쟁을 승리로 이끈 리더십의 중심에 용기, 성실, 비전이 있었다.

실리아 샌디스라는 윈스턴 처칠의 외손녀는 "리더십은 변화에 대응하는 자세"라고 했다. 그래서 남보다 뛰어나고, "훌륭한 리더는 변화에 대응하고 예견할 수 있어야 한다"라고 말했다.

그녀는 처칠을 한 마디로 말 한다면 'courage(용기)다' 고 했다. "과거에는 신체에 의존하는 담력이 요구됐다면 현대

사회는 정신적 대담함이 필요하다"고 했다.

실리아 샌디스는 위기를 극복하기 위해 리더는 용기, 성실, 비전을 강조하면서 "리더라면 모든 사람들이 좋아하는 말만으로는 안 된다. 자기 소신을 쉬우면서도 단도직입적으로 표현하는데 재주가 축출해야 한다"라고 말했다.

처칠은 선천적으로 S자 발음을 잘 못하는 약점을 가지고 있었다. 그러나 그는 그 약점을 적극 활용, 오히려 독특한 매력으로 승화시켰다.

또 처칠은 전임자 실수는 과거일로 덮는 유연성을 갖는 리더십의 전형을 보였다.

늑대는 생명에 위협을 받으면서까지 근성을 지키는 용기가 있다. 그리고 공격목표를 설정, 성실하게 실천하는 끈기도 있다.

결과적으로 유능한 위기극복리더십은 시의적절한 용기와 성실 그리고 비전을 갖추어야 한다.

욕구에 따라서 삶이 달라진다

인간의 삶이란 궁극적으로 부와 명예와 생명에 대한 욕구충족을 위한 자신과의 싸움이다.

욕구충족에 대해 그리스의 철학자 에피쿠로스는 "의식주에 대한 욕구, 성에 대한 욕구, 사치와 낭비, 화려함과 명예에 대한 욕구가 있다"고 했다.

의식주에 대한 욕구는 '삶에 기본이 되는 자연적인 것으로 없어서는 안 되는 욕구를 의미하고, 성에 대한 욕구는 자연생리적인 욕구를, 그러나 이 욕구는 없어도 그만, 있어도 그만인 욕구다'고 했다. 마지막으로 사치와 낭비, 화려함과 명예에 대한 욕구는 '자연적인 것도 반드시 필요한 것도 아닌 욕구다'고 했다.

에피쿠로스가 말 하는 욕구 중 기본적인 욕구를 제외하고는 삶을 위한 욕구보다는 살아가는 과정에서 파생되는 것으로 그것은 사람마다 다르며 또 때에 따라 큰 욕구에서 작은 욕구로, 작은 욕구에서 큰 욕구로 수시로 변화하는 것이 특징이다.

이런 욕구의 변화는 탐욕으로 발전, 뺏고 빼앗기는 싸움으로 번져 결국 죽이고 죽는 극한 상황에 이른다. 대다수 인간들은 에피쿠로스가 말한 욕구충족을 위해서 산다. 그러나 반드시 그렇지만은 않다.

인도의 민족주의자 마하트마 간디는 물레와 밥그릇, 염소젖, 허름한 숄 몇 장, 수건 등 의식주를 위한 기본적인 것에 만족했었으며, 더 이상의 재물을 원치 안 했다. 또 베트남의 승려이자 평화운동가인 틱낫한도 자신의 부나 명예와 생명에 대한 욕구가 아닌, 인간의 기본적인 욕구에 충실하고자 했다.

또 법정 스님은 '의식주를 위한 기본적인 것 외에 더 이상의 것은 욕심'이라고 하며 선택한 가난은, 가난이 아니라고 했다. 반면에 대통령이 되고자 하는 사람, 세계 제일의 부자가 되고자 하는 사람, 천년만년 살고자 하는 생명에 대한 욕구를 가진 사람도 있다.

이렇듯 '부와 명예 그리고 생명에 대한 욕구는 각기 다르다. 그렇지만 어느 것이 가장 바람직한 욕구다' 라는 정답은 있을 수 없다.

인간은 의식주에 대한 기본적인 욕구든, 성에 대한 욕구든, 사치와 낭비, 화려함과 명예에 대한 욕구든 어떤 형태이거나 나름대로의 욕구를 가지고 있다.

위기가 기회가 되고, 실패를 겪은 자만이 보다 큰 성공을 이룰 수 있다는 말과 같이 욕구도 위기를 겪고 실패를 당한 자라야만이 새로운 욕구를 갖게 된다.

'숨이 붙어있는 한 희망이 있어요? 하는 강한 의지로써 살아가는 여자가 있다. 그 여자는 대학 졸업을 앞둔 겨울, 전신에 3도 화상을 입고 죽음의 문턱에서 살아났다.

"화상 당시의 고통도 고통이었지만 사고 뒤 수술과 치료의 고통이 더 힘들어 스스로 목숨을 끊으려고도 했었다"라고 말 했다.

그는 이렇게 지난 날을 이야기 했다.

"생명이 곧 희망입니다. 숨이 붙어 있는 한 희망은 있어요. 저도 분명히 좌절과 절망의 늪에 빠져 지낸 적이 있었죠. 다 포기 해 버리고 싶었어요. 하지만 어느 순간 숨 쉬는 것 자체가 경이롭고 기적처럼 느껴졌습니다."

그녀는 새로운 삶을 꿈꾸고 미국으로 유학을 갔었다. 보스톤대학에서 재활상담 석사과정을, 컬럼비아대학에서 사회복지 석사과정을 마쳤다.

그녀는 생명에 대한 욕구를 뛰어 넘어 화려한 인생의 삶나 아닌 다른 사람을 위한 봉사정신 그리고 명예에 대한 욕구로 차원을 달리한 세상을 살아가고 있다. 그녀는 푸르에

재단 홍보대사로 활동을 한다. 재활전문병원건립모금운동도 한다. 장애인에 대한 차별 없는 사회를 만들기 위한 욕구충족을 위해 살고 있다.

이와 같이 인간들은 다양한 욕구를 가지고 있다. 욕구에 따라서 삶이 달라진다. 그러나 바람직하고 적절한 욕구를 가져야 한다. 지나치게 터무니 없는 욕구는 화를 불러오고 불행을 자초한다. 그리고 그 욕구충족을 위해 살고 있다.

욕구충족을 위해서는 시기적절한 기회를 포착하고 철저한 실천계획을 세워 끈질긴 노력을 해야 한다.

인간에겐 특별한 경우가 아니고는 누구나 생명에 대한 욕구, 부에 대한 욕구 그리고 명예에 대한 욕구가 있다. 그 욕구 충족을 위해서는 늑대의 속성을 지니고 늑대와 같이 살아야 한다.

투쟁과 지혜

맹목적인 투쟁은 백전백패한다. 군대가 제아무리 최첨단 신무기로 무장했다 하더라도 지혜에 의한 전술이 없는 단순 맹목적인 싸움은 패한다.

마찬가지로 투쟁을 할 때 반드시 필요한 것이 있다면 그것은 탁월한 지혜다. 지혜가 결려 된 투쟁은 바위에 박치기하는 꼴이다.

사람이 세상을 살아가는데, 기업이 생존하는데, 지혜는 필수적이고 지혜의 징도에 따라서 그 사람의, 그 기업의 성공정도가 달라진다. 지혜가 결려된 투쟁은 피하는 것이 상책이다.

늑대도 먹잇감을 사냥할 때 예리한 통찰력과 철저한 준비로 포기하지 않는 끈기와 동료들과 협력을 강화하여 목적달성을 위해 희생을 감수 한다. 그렇게 했을 때 성공의 가능성이 높다.

사람도 늑대의 속성을 지닌 자만이 크게 성공할 수 있다. 투쟁도 마찬가지다. 투쟁을 할 때에도 반드시 늑대의 속성과 지혜가 필요함을 잊어서는 안 된다.

생각 그리고 실천이 곧 결과

예나 지금이나 늘 남 다른 생각과 행동을 한 사람들이 성공을 했다. 누구나 생각할 수 있는 것 만으로는 큰 성공을 이루어 낼 수 없다. 생각하는 노력, 실천하는 노력은 성공의 어버이고 밑 걸음이다.

톡톡 튀는 생각을 하고 늑대처럼 실천할 때 비로소 성공이 이루어진다. 반면 남들과 똑 같이 생각하면 성공할 수 없다.

그럼 어떻게 하면 남 다른 생각을 할 수 있는가? 이에 대해 콜럼비아대학교 번트 슈밋 교수의 말을 빌린다면

*먼저 큰 생각과 반대되는 작은 생각(small think)을 폐기처분해야 한다.

-과거 금과옥조처럼 믿어왔던 성우(聖牛: sacred cow)를 죽여야

한다.

-인도에서는 소를 우상화 한다. 때문에 소를 죽이는 것은 상상도 못할 일이다. 그러나 소를 죽이는 생각을 함으로써 새로운 아이디어가 떠 오른다.

*창조적이고 혁신적인 아이디어를 찾아 내, 이를 바탕으로 전략을 세울 수 있는 방법과 구체적으로 그 전략을 실천할 수 있는 방법으로 상반, 통합, 핵심, 초월 4 가지를 제시하라고 했다.

-새로운 전략은 기존 사업전략을 180도 반대로 뒤집어 생각하라.

-통합전략은 어울리지 않는 2개의 아이디어를 결합하는 것이다. 즉 도매점 가격과 소매점 가격을 융합한다. 세계적인 유통업체 월마트는 가장 싼 소매점이라는 통합전략으로 성장했다. 또 검색에 집중 성공한 구글도 그렇다.

-초월전략은 아이디어를 극한으로 몰고 가서 시장흐름을 바꾸는 전략이다. 즉 무함마드유누스가 채무상환 능력이 없는 가난한 사람에게 대출을 해줘 소비를 늘리는 것 또 리처드 브랜슨 버진 그룹 회장의 우주여행을 상품화 한 것이 대표적 이다.

번트 슈밋 교수는 전략을 실행하기 위해서는 필요한 배짱, 열정, 끈기, 리더십이 있어야 한다고 강조했다. 이 외에도 성공을 위해서는 스타벅스처럼 체험마케팅도 필요하다고 했다.

체험마케팅은 감각, 감성, 인지, 행동, 관계라는 다섯 가지 체험활동을 통해 고객과 계속 케뮤니케이션해야 한다고 했다.

성공은 결코 쉬운 것이 아니다. 쉽지 않은 성공을 위해서는 반드시 평범을 뛰어넘는 비범이 필요하다.

늑대와 같은 기질, 근성을 가지고 있어야, 늑대와 같이 치밀함이 있어야, 늑대와 같이 교활함이 있어야 한다.

4부

로린마젤 끈기와 열정의 사나이

21세기는 초 경쟁시대!
지식경제에서 창조경제로 바뀐다

디지털세대들은 아날로그세대들을 뛰어 넘어 자신들의 영역을 확장해가고 있다. 획일적인 고정관념을 깨고 사물을 다른 시각에서 본다. 상상을 초월하는, 이해할 수 없는 생각을 가지고 사물에 접근 또 다른 시각에서 본다.

디지털시대 젊은이들은 낭만적인 모험, 발명, 혁신정신으로 진취적이다. 21세기 디지털문화는 초 경쟁시대로 변했다. 또 지식경제에서 창조경제로 뛰어 넘었다.

과거의 제도나 도구는 더 이상 사용할 수 없다. 새로운 아이디어로 새로운 제품을 만들지 않고는 살아남을 수가 없다. 아날로그시대에는 정부나 기업 할 것 없이 조직형태를 적게는 7~8명에서 많게는 4~50명까지 팀을 만들어 운영했다. 그러다 보니 팀원들로부터 의견을 수렴할 환경이 되지 않고 위로부터 일방적인 지시에 따라 획일적으로 움직였다.

창조적 경영이 아닌 구태의연한 경영이었다. 그러나 초
경쟁시대 지식경제에서 창조경제로 바뀐 디지털시대 넷 세
대가 경제중심에서 수요공급을 지배하는 시대에서는 조직
을 잘게 쪼개 한 팀당 4~5명으로 하여 자유스러운 분위기
에서 모든 직원들의 의견을 듣고 경영에 반영한다. 그렇게
하여 성공한 대표적인 기업이 구글이다.

구글은 창업 10여 년 만에 시가총액 미화 1,500억 달러에
육박하는 거대기업으로 성장했다.

구루개리 하멜 런던비지니스스쿨 교수는 초 경쟁시대,
지식경제에서 창조경제로 바뀌는 시대에 성공을 위해서는

*조직을 창조적으로 변화시켜야 한다.

*아이디어가 풍부해야 한다.

*열정을 갖고 주도권(이니셔티브)을 쥐어야 한다.

*임직원의 자율성을 확대하고 참여기회를 늘리는 등 기
업의 경영활동 전반을 변화시킴으로써 기업구성원의 창조
성을 향상시키고 구성원 전원을 혁신활동에 참여하도록 하
는 경영혁신을 해야 한다.

*독창적이어야 한다.

*CEO는 창조적인 생각을 말단 직원과도 나눠야 한다.

또 하멜 교수는 창조자가 되려면

*동종 업계에 있는 사람들이 당연하게 생각하는 것에 도전해야 한다.

*명확하게 구분되지 않는 부분에도 감정 이입을 시켜야 한다.

*자신이 가진 적성과 실제 할 수 있는 능력의 접점을 잘 찾아야 한다.

*지나친 미래만을 생각할 것이 아니라 현재에 집중하고 이미 변화하고 있는데 다른 사람들은 눈치 채지 못하고 있는 것이 무엇인지 생각해야 한다.

초 경쟁시대, 지식경제에서 창조경제로 바뀌는 시대 살아남기 위해서 그보다는, 성공한 기업이 되기 위해서는, 변화를 위한 통찰력이다.

늑대와 같은 예리한 판단력이 필요하다. 멈출 줄 모르고 돌격하는 코뿔소 전략, 그리고 잠행과 기습 전략의 악어와 같은 근성이 있어야 한다.

실패했다고 좌절해서는 안 돼

늑대는 좌절과 충격을 겪으면서 성장한다. 그래서 좌절과 충격을 두려워하지 않는다. 또 늑대가 생존을 위해 강해진 것은 외부로부터 받는 자극과 위협의 영향 때문이다.

늑대가 외부로부터 자극과 위협을 받아 강해지듯이 사람도 위기, 좌절, 실패를 경험하면서 크게 성장한다. 물론 예외적인 경우가 없는 것은 아니지만 보편적으로 그렇다.

2009년 8월 25일 오후 5시 한국에서는 유사 이래 처음으로 그것도 7년이라는 세월과 막대한 자본을 투자해서 위성을 우주공간에 쐈다. 세계인의 시선이 집중된 가운데 온 국민의 염원을 담아 발사를 했다.

그러나 발사 이륙 1시간 만에 목표궤도를 벗어나 행적파악이 어렵게 되었다. 실패의 먹구름이 짙게 깔렸다. 7번의 발사위기를 맞아 8번째 발사마저 실패로 돌아갔다. 이를 두고 실망과 희망, 위로와 원망이 뒤엉켰다.

'실패는 성공의 아버지'라고 했다. 실패가 성공의 아버지라고 해서 실패가 곧 성공을 보장하는 것은 아니다. 실패는 또 다른 실패를 가져올 수도 있다.

한국 국민은, 나로우주센터 관계자는, 실패에 대한 스스로를 위로하기 위해 1957년 소련이 우주개발에 나선이래, 기술 선진 11개 국이 위성을 발사 그 중 소련, 프랑스, 이스라엘만이 첫 발사에 성공했고, 미국을 비롯한 8개국이 실패했었던 것으로 봐 우리가 실패한 것은 있을 수 있는 것쯤으로 위안을 하는데, 그것은 더 깊이 생각해 볼 일이다.

다른 나라들이 실패를 거듭했다 하더라도 우리는 실패해서는 안 된다. 이미 미국을 포함한 11개 국이 기술적 결함 또는 기상악화라는 원인으로 첫 발사를 실패했었던 경험을 토대로 철저하게 준비 했었어야 했다.

기상악화는 불가항력이라 하더라도 기술적 결함은 최선을 다 하면 예방이 가능했었다고 본다. 결과적으로 나로호 발사 실패는 늑대와 같은 예리한 통찰력도, 치밀함도 부족했었다.

미국이 위성발사 2초 만에 발사대에서 1.5m도 이륙하지 못하고 공중폭발로 실패하고, 또 1986년 1월 28일 우주왕복선 챌린저호가 발사 후 73초 만에 폭발 승무원 전원이 사망 실패했었다.

브라질도 세 번 발사 세 번 실패했었다. 세 번째는 과학자 21명이 사망하는 사고를 겪었다. 일본 또한 1966년 이후 9차례를 발사 그 중 네 번 실패를 했었다. 그 외에도 영국, 중국 등 기술선진국들도 첫 위성발사를 실패한 경험들이 있었다. 이로써 1957년 소련이 위성을 첫 발사한 이래 2009년 8월 현재까지 1316회를 발사 87.5%를 성공했었다.

그들은 실패를 하면서도 좌절하지 않고 반복해서 도전 성공을 했었으며, 미국과 소련은 인간을 달에 착륙시켰었다. 또 우주정거장을 설치 그곳에 인간을 상주시키는데 성공했었다.

성공은 결코 그저 얻어지는 것이 아니다. 실패라는 값비싼 대가를 치러야 한다.

늑대가 먹잇감을 사냥할 때 끈기와 인내로써 포기하지 않고 목표를 달성하듯이 인간도 실패에 좌절하지 않는 자만이 성공을 한다.

로린마젤은 끈기와 열정의 사나이

　12살에 교향악단 지휘로 음악을 시작 78세에 은퇴한 프랑스 출신 뉴욕필오캐스트라하모닉 천재지휘자 로린마젤이 2009년 6월 27일 구스타프말러의 교향곡 제 8번 '천인교향곡'을 마지막으로 고별공연을 했다.

　로린마젤은 78세 노장답지 않게 지칠 줄 모르는 열정으로 80분에 이르는 대곡을 쉬지 않고 소화했다. 로린마젤에게는 늑대와 같이 강한 집념과 끈기가 있었다.

　로린마젤이 뉴욕필하모닉 상임지휘자로, 음악감독으로 7년 동안 몸담았던 곳을 떠나면서 "이 세상의 모든 일은 농담이고, 인간은 최고 광대라네"라는 말을 남겼다.

　이 말은 1813년에 태어나 1901년에 세상을 떠난 이탈리아 작곡가 베르디의 희곡 오페라 '팔스타프' 노래 가사다. 이 오페라는 베르디가 마지막으로 열정을 불태운 작품으로 허탈한 웃음만 남는 인생살이를 비유했다.

오페라 베르디는 여자 치맛자락만 쫓다 망신당하는 주정뱅이 뚱보기사 존 팔스타프를 내세운 코미디다. 서로가 속고 속이며 살 수 밖에 없는 세상을 풍자해 씁쓸한 맛을 남긴다.

인간은 누구나 없이 지구라는 한정된 공간, 생태계라는 틀 속에서 자연이 꾸며낸 무대 위에 미리 준비 된 각본에 따라 때로는 웃기도 하고 때로는 울기도 하는 광대가 된다.

태어나서 죽을 때까지 한 순간도 쉴 새 없이 광대로 살아야 할 인간이라고 생각하면 지나 온 과거도 살아갈 미래도 부질없는 짓들이겠지만 그래도 존재하는 한 보다 보람된 연출자가 되기 위해 늑대와 같이 살지 않으면 안 된다.

베르디처럼 로린마젤처럼 지혜롭게 또 예리한 통찰력으로 기회를 포착 끈기와 인내로써 포기하지 않고 실천하는 자세여야 성공한다.

비행기가 구름사이를 스쳐 하늘을 날고, 새들이 건물이나 나무숲 사이사이를 피하며 하늘을 날듯, 사람이 산다는 것 자체가, 인생의 길이 하늘을 나는 비행기처럼 새들처럼 수많은 풍파를 피해 순간순간을 정처 없이 달려가고 있다. 그런 순간순간의 삶을 보다 더 보람되게 하기 위해서는 로린마젤처럼 끈기와 열정이 필요하다. 그리고 지식도 필요하고 지혜도 필요하다.

세리키즈들의 벌떼 공격

'총사령관 박세리, 돌격대장 신지애 그리고 용맹한 부대원, 세리키즈들의 US여자오픈고지를 향한 벌떼 공격은 이미 시작됐다.'

이것은 2009년 미국 최고의 대회 US여자오픈에서 태극낭자들의 출정과 관련하여 나온 말이다.

세리키즈들은 1998년 박세리의 우승 감동을 보고 당시 고사리 같은 손으로 골프채를 잡았던 어린소녀들이다. 그 중 대부분이 1988년 생들이다. 박세리는 이제 '세리키즈'로 부활하고 있다. 1997년 우리나라가 외환위기를 당해 전 국민이 실의에 빠져 있던 1998년 US여자오픈에서 박세리가 우승했다. 그 우승의 감격은 우리 국민에게 용기와 희망을 안겨줬다.

당시 하얀 맨발로 물속에서 샷을 하던 모습을 TV브라운

관을 통해 시청한 국민들은 다 같이 환호하며, 눈 갓이 촉촉하게 젖는 감동을 맛보았다.

그때 박세리는 21살이었다. 어린선수였기에 더욱 감격스러웠다. US여자오픈의 영웅 박세리는 가정 형편이 좋은 편은 아니었다. 그런데도 박세리 부모는(특히 아버지) 딸 세리가 남 다르게 운동신경이 발달, 골프에 소질과 재능이 있다는 것을 일찍 발견을 했다. 기술과 담력 두둑한 배짱을 키우기 위해 10대 후반부터 지옥훈련을 시키며, 딸 세리에게 모든 것을 쏟아 부었다.

박세리 아버지는 통찰력이 뛰어났고 성취욕이 강했다. 포기할 줄 모르는 끈기를 지녔다. 또 타의 추종을 불허하는, 생존 술에 정통한 늑대의 기질을 가지고 딸에게 그것을 가르쳤다.

박세리 가족들은 세리의 장래를 위해서 협동과 희생정신으로 살았다.

2009년 7월 9일 미국 팬실베니아주 사우컨밸리골프장에서 개막한 2009년 US여자오픈대회의 우승컵을 거머쥐기 위해 156명이 샷 대결에 나섰다. 그 중 49명이 태극낭자다.

골프경기에 참가한 태극낭자들을 일컬어 '벌떼라' 하고 그들의 출정을 공격이 시작되었다고 했다. 그들을 세리키즈라고 했다.

세리키즈들 중 박인비는 2008년 제10회 대회에서 우승을 했다. 또 세리키즈들은 배짱 또한 두둑하다.

2009년이 시작되면서 신지애는 골프여자황제 맥시코 출신의 로레나 오초아를 겨냥 전쟁을 선포했다.

세리키즈 중 대표적인 선수 돌격대장 신지애를 비롯하여 박인비, 오지영, 김인경, 이은정, 김송희, 지은희, 이선화, 최나연, 서희경, 안선주, 최혜용 등이 있다. 이들은 늑대의 근성으로 철저히 무장되어 있다.

드디어 2009년 사우컨벨리 US오픈대회에서 세리키즈들은 지은희가 우승컵을 번쩍 들어 올린 것을 비롯하여 랭킹 10위 이내에 무려 5명이 들어갔다.

지은희는 우승을 하고 그는 "박세리 언니처럼 국민에게 꿈과 희망을 주는 실력 있는 골퍼가 되고 싶어요"라고 했다.

LPGA투어 최고 메이저대회인 US여자오픈에서 우승했다. 우승상금만도 7억 원, 그는 마지막 18홀에서 "버디퍼팅만 들어가면 연장전 가면 되지 했죠, 국제전화비 벌려면 계속 좋은 성적 내야죠"하며 여유를 보였다. 여유 있고 천진스러운 성격은 대담성을 갖게 했다.

그는 뱃장이 두둑했다. 늑대의 투지를 닮았다. 연장전 승부를 네 번이나 했는데, 한 번도 지지 않았다고 했다. 그것이 바로 늑대의 끈기와 인내 그리고 절대 절명의 위기 앞에서도 위축되지 않고 당당한 기질로 그는 승리할 수 있었다.

강한 집념을 가졌다.

태극낭자 벌떼들은 미국 본토 팬실베니아주를 거침없이 공격 함락시켰다.

신지애 그에게는 눈이 작아 '단추 구멍' 이라는 별명이 있다. 남들보다 눈이 유독 작다. 그 작은 눈으로 퍼팅라인을 살핀다. 늑대가 먹잇감을 사냥할 때 주위를 살피듯 작은 눈으로 현미경 퍼팅을 한다. 그 작은 눈으로 신지애는 올해의 선수상을 맥시코 오초아에게 내 주고, 미국 LPGA신인왕, 상금부분, 다승왕부분에서 우승 3관 왕을 차지했다. 올해의 선수상을 오초아에게 내 주기는 했지만 당초 목표를 달성하는데는 성공을 했다.

프로데뷔 후 한 번도 눈물을 흘린 적이 없는 독종 신지애도 올해의 선수상 역전패를 당하고 경기장에서 숙소로 가는 차안에서 끝내 눈물을 흘렸다. 그는 "골프 때문에 울어 본적이 중학교 1학년 그리고 이번이 두 번째다" 라고 했다. 신지애는 경기에서 만큼은 악바리고 독종이다.

2006년 파브인비테이션널대회 전에 심한 감기에 식도가 헐어 물도 마시지 못할 정도로 아픈 것도 불구하고 대회를 치르는 기간 동안 링거주사를 맞으며 출전하여 결국 우승을 차지했다.

2003년 중학교 졸업무렵 교통사고로 어머니를 잃고 두 동생이 병원에 입원 1년간 가료 중일 때 동생들 병간호를 하면서도 골프를 계속했을 만큼 집념이 강하다. 그런 기질이 있었기에 그는 성공할 수 있었다. 결코 우연한 성공은 없다. 남다른 노력 없는 성공은 없다. 신지애는 스스로를 이렇게 말하고 있다.

"골프선수로 나는 축복받은 아이다. 큰 어려움 없이 우승도 많이 해 봤고 미국 LPG에 진출 성적도 괜찮았다. 하지만 골프대회로써 세계인의 이목이 집중되는 2009년 LPG대회 개막 전 예선 탈락, 최종전인 챔피언십에서 1점 차로 올해의 선수상을 오초아에게 뺏긴 경기를 치르면서 무슨 일에서나 자만심을 버려야 한다는 정말 소중한 것을 배웠다"고 했다.

그러면서도 또 "내년 시즌을 잘 준비할 수 있는 자극제가 됐고 이루어야 할 목표가 생겼다"며 새로운 각오를 보였다. "또 세상이 호락호락하지 않다는 것도 배웠다"고 했다. "한 타의 소중함도 다시 깨달았다"고 했다.

그는 "지금의 자신이 있는데는 어머니가 8할이고 2할은 포기하지 않는 꿈"이라고 했다. 결국 정신력이 중요함을 강조했다. "또 어린 나에게 엄마를 잃게 한 사고는 절망과 힘겨운 그 자체였다"고 했다.

그는 "세계 최고 여자골프선수가 되고 싶은 꿈이 있다. 하늘에 계신 엄마와 함께 이 꿈은 나를 지탱해 주는 에너지다. 10년 후는 골프선수가 아닌 다른 신지애가 될 꿈을 가지고 있다. 오직 승리만을 향해 달리는 독일 전차 같은 골프인생은 단조롭기 때문에 평생하기에는 싫다"고 했다. 그러나 "당장은 올해의 선수상 수상이라는 새로운 꿈을 갖고 2010년을 시작하겠다"고 각오를 보였다.

늑대가 먹잇감을 사냥할 때 적절한 공격기회를 포착하기 위해서 몇날 며칠이고 참고 견디듯 세리키즈들도 목적달성을 위해서 고독을 참아내는 인내심, 치밀한 작전계획을 세워 실천하는 늑대의 기질로 훈련되어 있다.

늑대의 기질, 늑대의 속성이 없이는 살아남을 수가 없다. 성공할 수가 없다. 그것을 알고 철저하게 실천하는 세리키즈들이다.

우생순 한국 핸드볼 팀

우생순? '우리 생애에 최고의 순간'을 줄여서 일컫는 2004년 아테네에서 개최하는 하계올림픽경기대회에 출전했던 우리나라 핸드볼 여자대표 팀에게 붙여진 닉네임이었다.

운동경기의 생명은 출전선수들이 만들어낸 짜릿한 스릴과 감동이다. 그래서 운동선수들은 재물(돈)이 아닌 명예나 인기를 먹고 산다.

물론 프로팀이나 프로선수들은 돈을 먹고 살지만 아마추어들은 그렇다 그러다 보니 운동선수가 되고자 하는 사람들은 가급적 인기가 많은 육상이나 축구 같은 종목을 선호했다.

그런 측면에서 핸드볼경기는 인기 순위가 거의 밑바닥이다. 관중이 없는 경기를 하기도 했다.

핸드볼선수들은 인기 없는 경기종목 선수로 비참함도 좌절도 간과看過할 수 없었다. 그런 가운데 다행히 아테네올림픽 핸드볼 여자대표 팀이 만들어졌다. 대표 팀이 출범하기까지는 우여곡절이 많았다. 여건이 그렇다 보니 선수들 스스로가 남다른 늑대의 근성을 갖지 않으면 살아남을 수 없는 환경에 이르기도 했다. 그 과정에서 태어난 닉네임이 우생순이었다.

그들은 '우리 생애에 최고의 순간'을 목표로 협동정신으로 똘똘 뭉쳐 끝까지 포기하지 않고 인내와 끈기로 살아남을 것을 다짐했다. 늑대의 속성을 그대로 나타냈다.

늑대가 빙판을 건널 때 몇 걸음 가다 두 발을 물러서서 주위를 살피고 다시 앞으로 나간다. 얼음이 단단하여 깨지지 않을 것이 확실하면 용기를 내 재 빨리 몸을 훌쩍 솟구쳐 건너편으로 넘는다. 이것 또한 늑대의 지혜고 속성이다.

우생순 팀에게도 늑대가 빙판을 건너듯 아테네여자핸드볼 출전국 팀에 대한 경계를 늦추지 않았다. 입수된 정보를 예리한 통찰력으로 분석하여 작전을 세우고 만반의 대비를 했다.

팀을 위해 희생정신과 협동정신으로 굳게 뭉쳤다.

2004년 아테네올림픽경기가 개최됐다. 격전의 날이 돌아왔다. 늑대의 속성으로 똘똘 뭉친 우생순들은 국민들을 감동시키기 시작했다.

늑대가 사냥감을 쫓아 포획을 하듯이 상대 팀들을 하나하나 먹어치웠다. 오랫 동안 굶주린 늑대처럼, 식욕이 왕성한 말미잘처럼 거침없이 앞만을 바라보고 전진을 했다. 드디어 결승전까지 쉼 없이 달렸다.

 결국 우생순들은 코트에 주저앉아 울어버렸다. 심판의 오심으로 준우승이라는 아쉬움에 쏟아지는 울음, 어려운 환경에서 이뤄낸 준우승이라는 감격에 솟구치는 울음, 희비가 함께하는 울음을 그리고 눈물을 펑펑 쏟았다.

 임영철 감독과 김남선, 김온아, 김차년, 문필희, 안정화, 박정희, 배민희, 송혜림, 홍정호, 오성옥, 오영란, 이민희, 최임정, 허순영 선수 그 선수 중에는 30대로 어린애까지 있는 가정주부도 있었다.

 그들은 아테네에서 눈물을 쏟아 붓는 연기를 연출했다. 운동경기가 아닌 감동을 주는 한 편의 드라마를 연출해 냈다.

 눈물을 흘리며 아쉬워하는 그들의 모습에서 우리 국민 모두는 눈물을 쏟아내지 않을 수가 없었다.

 우생순 그들이 있기 까지에는 늑대의 기질 통찰력, 포기할 줄 모르는 끈기, 협동심, 희생정신이 밑받침이 되었다.

 또 그들을 이끌었던 훌륭한 지도자 임영철 감독이 있었기에 가능했다.

이매진컵 들어올린 와프리 팀

2009년 이집트 카이로에서 이매진컵을 들어 올린 주인공 와프리팀 김기범, 유신상, 신윤지, 박영부가 임베디드개발 부분 1위를 차지한 수상 소감 "상상할 수 있는 기회를 얻어서 상상을 마음껏 현실화하는 계기가 됐습니다. 한국 소프트웨어의 위상을 높인 점도 자랑스럽고요"라고 말했다.

이매진컵은 16세 이상 학생들을 대상으로 하는 세계 최대의 소프트웨어경진대회다.

이들이 개발 수상한 임베디드는 심각한 식량난으로 기아를 겪고 있는 아프리카 등 못사는 나라를 위해 사슴벌레 유충을 대체식량으로 활용할 수 있는 컴퓨터 프로그램이다. 이 프로그램은 사슴벌레를 기르는데 필요한 물, 온도, 먹이 등의 공급량을 조절하는 시스템이다.

이 시스템으로 사슴벌레 유충을 대량으로 생산 쿠키 등

을 만들면 대체식량으로 활용할 수 있다.

이번 대회에 임베디드개발부분에 국가별 지역별 예선을 거쳐 본선에 20개 팀이 참석 1·2 라운드에서 미국, 중국, 멕시코, 터키, 우크라이나, 한국 등 6개 팀을 선정 결선을 해서 한국의 와프리팀이 우승했다.

와프리팀은 열악한 환경에서 세계 정상까지 이르는데에는 늑대의 근성이 필요했다.

예민한 통찰력으로 개발대상을 선정 4명이라는 팀원이 똘똘 뭉쳐 강한 협동정신으로 몇 번의 실패에도 포기하지 않고 끈기를 가지고 이루어 냈다.

늑대의 속성이 이루어낸 결과다.

나이 어린 학생들로 구성된 와프리팀이 임베디드를 개발함으로써 그들은 소프트웨어부분에서 능력을 인정받았다. 그들이 개발한 임베디드의 유용에 따라 가치도 크게 달라진다.

그들은 수상소감에서 "한국소프트웨어의 위상을 높인 점이 자랑스럽다"고 했다. 위상을 높였다는 것은 곧 가치를 높였다는 말로 바꿀 수가 있다. 또 그들 자신들의 능력을 향상시키고 향상된 것 만큼이나 가치도 높였다.

자신의 능력은 곧 자신의 가치다.

일본의 도코토시오는 "인간의 능력에 커다란 차이는 없다"고 했다. 사람들은 각기 무한한 능력을 갖고 있다. 자신의 능력을 활용하기에 따라 유능한 능력이나 무능한 능력으로 나타난다. 유능한 능력의 가치와 무능한 능력의 가치는 다르다.

아무쪼록 가치의 평가는 능력의 정도임이 틀림없다. 보다 나은 가치평가를 받고자 한다면 능력을 키워야 한다.

사소한 것도 소홀히 해서는 안 돼

사람들은 작은 일, 적은 것이면 늘 소홀히 하는 경향이 있다. 그까짓 없어도 그만, 있어도 그만 또는 사람이 짜잔하게 사소한 것에 목숨을 걸어 이런 말을 한다.

반면 '가랑비에 옷 젖는다. 잔돈 푼도 소홀히 해서는 안 된다' 란 말이 있다.

미국인 해리 에머슨 씨가 숲속 거인의 승리와 패배에 대해, "단단한 껍질을 깨고 땅속에 뿌리를 박은 연약한 묘목으로 싹터 번갯불에도 타지 않고, 눈사태와 폭풍우라는 고난에도 죽지 않고, 꿋꿋이 수백 년을 살아온 거대한 나무도 사람이 손으로 쉽게 뭉개버릴 수 있을 만큼 미미한 딱정벌레에 의해 파괴된다. 딱정벌레 떼가 나무껍질을 파고 들어가 조금씩 그리고 끊임없이 공격을 계속해서 나무 내부의 활력을 파괴 결국 나무를 넘어뜨려 숲이 사라진다"라고 말을 했다.

이렇듯 인간도 '산림의 거목과 흡사한 것이 아닐까?아니다'라고 어느 누구도 단언 못 한다.

왜? 현실이 그랬었다. 그런데 대부분 사람들은 사소한 일에 소홀히 한다. 인간은 폭풍우나 눈사태, 번갯불과 같은 고난을 어떻게든 견디어 내려고 갖은 노력을 하면서도 가랑비나 작은 불꽃에는 소홀히 한다.

딱정벌레와 같은 사소한 것에 거목이 사라지듯 인간도 사소한 것들 때문에 멸망하지 말라는 보장이 없다.

사소한 것, 하찮게 생각되는 것도 소홀히 하는 일이 없도록 해야 한다.

산양은 늑대와 같은 포획자의 공격에도 반항 한 번하지 않는다. 그러나 늑대는 산양을 사냥할 때도 대상물에 대해 철저한 분석과 치밀한 계획을 세워 동료들과 공동으로 협력과 협동으로 포획한다.

인간도 성공을 위해서라면 늑대처럼 사소한 것에도, 경험이 있고 익숙한 일에도, 세심하게 관찰해서 빈틈없이 처리하는 태도가 필요하다. 그런 자라 성공한다.

기업도 국가도 특화해야 한다

빵과 의류 그리고 주거, 즉 의식주만을 중요시 한 시대는 이미 지났다. 이제는 의식주만으로는 부족하다. 그리고 단순한 양보다는 보다 나은 질이다.

의식주를 삶의 기본으로 했었던 과거에는 부의 개념도, 부의 기준도, 소득의 원천도 부동산에 편향 됐었다.

그런 시대에는 인간들의 삶도 단순했었다. 부의 창출도 농업이나 축산업에 의존했었다.

18세기 영국에서 방적기계의 발명으로 공업이 시작되었고 공업의 발달은 산업화를 촉진시켰다. 산업화는 결국 농촌경제를 몰락시켰다. 반면 인간들이 필요로 하는 물질의 공급이 늘어 생활의 양적 팽창과 질적 수준이 크게 향상됐다. 그러나 지속된 산업화는 환경파괴라는 새로운 문제를 야기시켜 삶의 질을 저하시키기 시작했었다.

이런 가운데 인간들은 새로운 삶을 갈구했다. 욕구는 커지면서 점점 다양화 됐다. 다양한 기능을 갖춘 질 좋고 저렴한 제품을 선호한다. 또 다른 한편으로는 제품가격에 구애받지 않고 명품과 고가품만을 찾아 구매하는 수요구조로 시장이 구성되어 있다. 최고의 질과 최고의 값이 아니면, 최저의 가격과 가격에 비해 질 좋은 제품만을 구매하는 이중 수요구조다.

세계에는 그런 수요자의 심리를 이용, 시장에 접근 성공한 기업이 있다. 저렴한 가격으로 질 좋은 상품만을 취급 저변 수요층을 확대 성공한 대표적인 글로벌기업으로 유통업계의 월마트와 의류업계의 유니클이 있다.

반면 최고의 질 그러면서 최고가最高價 명품만을 취급하는 기업으로는 명품가방 샤넬, 뤼비통. 명품시계 로렉스, 파텍, 피아제. 불가리 명품의류 마젤, 주줌, 푸치, 디종, 비커밍포쉬가 있다.

현대사회는 국가도 도시도 하나의 상품이다. 그래서 국가도 명품국가여야 한다. 또 도시도 마찬가지다. 뉴욕, 런던, 상해, 이스탄불, 두바이처럼 매력을 키워야 한다. 국가나 도시도 무한한 부가가치를 창출할 수 있는 잠재력이 큰 상품이다. 그것이 바로 굴뚝 없는 공장이다. 그래서 국가라는 브랜드, 도시라는 브랜드, 그 브랜드가치를 높여야 한다. 그러기 위해서는 국가에 대한, 도시에 대한 다양한 디자인이 필요하다.

폴크루그먼 교수는 이렇게 말하고 있다.

"서울을 디자인 하라고. 사람들을 유린할 수 있는 매력이 있는 도시로 만들라고. 한국에 대한 외국인들이 갖는 인식이나 인지도가 홍콩이나 싱가포르에 비해 많이 떨어져 있다고. 그래서 명품국가, 명품도시를 만들기 위해서는 우선 런던이나 뉴욕과 같이 매력이 있어야 한다. 외국에서 찾아온 손님이 자기 집에 오거나 고향에 온 것처럼 편안함을 갖도록 돼야 한다"라고 주문했다.

세계는 지금 격변하고 있다. 하루에도 수많은 신 물질이 만들어지고 또 사라진다. 식물도, 동물도 변이종이 태어나는가 하면 멸종되기도 하고, 멸종위기를 겪기도 한다. 그런 가운데 국가나 기업은 물론 사람도 하고있는 일을 특화하지 않고, 변화하지 않고 현실에 안주해서는 살아남을 수가 없다. 더더욱 성공할 수 없다.

성공을 위해서는 늑대와 같은 끈질긴 인내와 투지, 강인한 성취욕이 있어야 한다.

한반도의 사계절은 우리 민족에게는 하늘이 주신 축복이다. 사계절을 잘 활용해야 한다. 1년이 사계로 나눠 있다는 것, 최고의 상품이다. 수백 만 개의 굴뚝공장과도 같다. 거기에 서울을 가로 지르는 한강, 그 한강은 물이 흐르는 단순한 강이 아니다. 한강은 우리 민족에겐 보물이다.

유명한 프랑스 파리의 세느강이나, 영국 런던 중심가를 흐르는 테임스강, 세계 어디를 가도 도심을 흐르는 강치고 한강처럼 수량 많고 주변이 아름다운 강은 없다. 그런 천혜의 여건을 갖춘 자연경관을 우리는 파헤쳐 성냥갑 쌓아 놓은 것 같은, 새장 같은 아파트 숲으로 치장 해 버렸다.

*1960년대 이후에 개발로 이룬 경제발전이 한강의 기적이었다면 제 2의 또 다른 한강의 기적을 일구어 내야 한다.

한강을 중심으로 주변 자연경관을 살려 토끼나 노루가, 꿩과 멧돼지가 뛰노는 초원을 만들고 레이저광과 강물이 함께 어우러져 밤하늘을 품에 안은 서울을 만들어야 한다.

강 언덕 숲속에는 그림 같은 집을 짓고 강변 숲길엔 빨래터도 만들고 숲속을 털털대며 달리는 마찻길을 만들어 바짓가랑이에 흙먼지도 붙고, 돌부리에 걸려 넘어지기도 하면서 광나루에서 행주산성까지 오고가는 그런 길도, 칙칙폭폭 힘겹게 달리는 기찻길도 만들어 낭만이 깃든 서울, 도심 속 초라한 시골의 정취를 마음껏 즐길 수 있는 곳으로 만들어 신 문화에 찌든 도시인이 푹 빠져 즐기는 서울을 만들어야 한다.

*과거와 현재 그리고 미래가 함께하는 도시로 지구상에서 가장 편한 도시, 찾아가고 싶고, 머물고 쉬어가고 싶은

도시, 영원히 기억하고 싶은 도시, 살고 싶은 도시를 만들어야 한다. 그것은 곧 서울시민이 살고 우리 국민이 사는 길이다.

또 기업도 사는 길이다. 성공하는 도시, 성공하는 기업, 성공하는 나라가 되는 길이다.

폴크루그먼 교수가 한 말을 새겨듣고 음미하여 서울을 디자인 해 볼 필요가 있다.

변하지 않으면 안 돼

지구환경이 쉴 새 없이 변하고 있다. 과학문명 또한 숨 돌릴 틈을 주지 않고 발달하여 사람들의 생각과 행동을 변하게 한다.

변화는 위기감이 증폭된다. 반면 위기라고 생각되면 생존을 위해 최선의 노력으로 살길을 찾는다. 위기탈출을 위한 수단과 방법으로 대처한다. 그래서 '위기가 기회다' 라는 또 '난세에 영웅이 난다' 라는 말도 있다.

위기 탈출을 위해, 난세극복을 위해 변화가 일어난다. 변화는 소득수준이 달라진다. 소득수준에 따라 먹는 것에서 입는 것, 사용하는 모든 것들에 대한 취향이 변해 양적 욕구보다는 질적 욕구가 커진다.

그 욕구충족을 위해 노력은 곧 어제의 지식과 기술이 오늘은 쓸모없이 전략해 버린다. 새로운 직업이 생겨나고 기존에 성업 중이던 직업이 어느 순간 사라져 흔적을 찾아 볼 수 없게 된다.

1980년대 까지만 해도 길거리에서 엿판을 싫은 리어카, 엿판을 걸머 맨 엿장수가 가위를 치며, '엿 사세요?' 외치던 직업이, 양복을 맞추고 양장을 맞추는 직업이, 구두를 맞추고 수선하는 직업이, 아이스 케키 통을 매고 '아이스 케키' 하고 외치던 장사가, 서울역 주변에서 짐을 지고 날라주는 짐꾼이, 버스나 지하철에서 신문을 팔던 직업이, 언젠가부터 사라지고 햄버거 집, 치킨 집, 기성 복가게, 택배, 빙과류 전문점으로 바뀌고, 카센터, 전자제품 서비스센터, 이동통신 대리점으로 하루에도 수천수만 가지 직업이 새로 생겨나고 또 없어진다.

농촌이나 어촌사람들처럼 특별한 직업이나 특별한 사람이 아니고는 평소 별로 관심 대상이 아니던 일기예보가 기업들에게 빼 놓을 수 없는 중요한 정보가 되었다.

자연환경을 비롯한 인간들의 생각과 행동 무엇 하나 빼놓지 않고 혁명처럼 변하고 있다. 이런 상황에 신속하고도 적절하게 변하지 않고서는 살아남을 수 없다.

시대에 적합한 생각과 행동이 필요하다. 새로운 지식, 새로운 기술을 배우고 갈고 닦아야 한다.

긴박하게 변해가는 현대 사회에서 살아남으려면 적과의 동침을 불사해야 한다.

금융위기로 맞이한 불경기를 이겨내기 위해 국내 최대 경쟁관계에 있는 LG전자와 삼성전자가 모바일 TV표준기술공동개발에, 해외수입에 의존한 DTV핵심 칩을 공동개발하기로 양해각서를 체결했다.

또 현대자동차와 삼성전자가 그린 카 개발을 위해 자동차와 반도체상생협력에 관한 양해각서를 맺고 지능형 자동차용 반도체개발에 본격 착수하는가 하면 포스코와 SK에너지도 석탄을 석유와 가스로 만드는 청정에너지기술을 개발하기로 하는 등 동종 또는 인접산업으로 치열한 경쟁대상이었던 기업들 간에 경쟁관계를 넘어 서로 손을 잡고 머리를 맞대고 협력하는 소통생산, 소통경영으로 변해야 한다.

살아남기 위해서는 사람도 기업도 변해야 한다. 영원히 존재하는 기술도, 기업도, 시장도 없다. 과학문명은 당신이 변하지 않으면 살아남을 수 없도록 급변한다.

이럴 때 일수록 예리한 통찰력에 의한 기회포착을 해야 하고 끈기와 인내로써 투지를 가지고 경우에 따라서는 자기 희생도, 협력체제도 필요하다. 늑대처럼 살아야 한다.

핵심을 파고 들어라

장사가 안 돼 문 닫을 처지가 되면 먼저 안 팔리는 제품부터 정리하고 생산을 중단하라. 붙잡고 있으면 있을수록 더 많은 시간과 인력 그리고 비용만 낭비된다.

시장은 언제나 불황과 호황이 번갈아 오고 간다. 그때마다 흥한 기업이 있는가 하면 망한 기업이 있다. 망한 기업이 있으면 그만큼 사회적 손실이 발생하고 실업자도 양산된다. 그래서 국가도, 기업도 불황을 두려워하고 불황탈피를 위한 노력을 게을리 하지 않는다.

불황탈피를 위해서는

• 성장시장에 새로 진입한 후발기업은
기업의 경쟁력을 파악하고 시장수요를 철저히 분석 핵심 역량을 집중하여 공급자가 수요를 창출하라. 과거는 수요자가 요구하는 제품을 공급자가 생산 제공했었으나 이제 그런 시대는 지났다. 그런 경영으로는 크게 성공할 수 없다. 더 더군다나 불황극복을 이룰 수가 없다.

1990년대 초부터 10수년 간 일본은 불황으로 많은 기업과 다수국민들이 고통을 받았다. 그 가운데에서도 호황을 누려 크게 성공한 기업들이 있다.

의류제조판매전문점 패스트패션 야나이다다시 회장은 '불가능도 계속 도전을 하면 이뤄진다' 라는 소신을 가지고 패션업계에 뛰어든 25년 만에 일본 의류시장을 석권 제일부자가 됐다.

또 인력파견업체로 1995년 일본 경기가 장기 불황에 빠져 있을 때 새로 출발한 '니혼에임' 은 가전, 자동차, IT 등 다양한 분야에 인력을 송출했으나 크게 실패를 했다. 그래서 반도체분야를 제외한 가전을 비롯한 자동차 IT 등 인력을 정리하였다.

오직 반도체 분야로 단일화 재 교육을 실시하여 파견 하는 등 서비스를 집중했다. 니혼에임은 예리한 통찰력으로 반도체 기업에서 이직과 교육비용 부담가중으로 인력난이 코앞에 닥쳤음을 예상하고 그 분야에 특화했었던 것이 적중, 일본 경기가 장기 불황에도 불구하고 연 매출액 300억 엔을 초과 달성, 크게 성공한 중소기업으로 성장했다.

니혼에임은 일본 내 반도체 관련기업이 필요로 하는 기

술인력의 절반 이상을 송출 공급을 맡고 있는 중요한 용역 업체로 성장해 왔다.

• 성장시장의 선두기업은

신 제품개발 마케팅에 집중하여 핵심영역을 확장해야만 후발업체에 의한 시장잠식을 면하고 불황을 극복 할 수 있다.

불황에는 때로는 움츠리는 것도 좋지만 오히려 공격경영도 필요하다. 경비용역업체 세콤은 1990년대 일본 불황 때 공격경영을 선언하고 신 제품개발에 적극 투자 '세콤하고 계십니까? 라는 광고로 대대적인 마케팅 캠페인을 벌렸다.

치밀한 시장조사와 예리한 통찰력으로 주택사업에 새로 도전을 했다. 도둑 등 외부침입을 철저히 감시하는 보안장치 등 특수시설을 갖춘 주택보급에 역점을 둔 결과 불황극복 뿐만 아니라 크게 성장을 이루었다.

• 성숙시장에 뛰어든 후발업체의

불황타계는 더욱 더 힘 든다. 무르익은, 완전히 형성된 시장에 새롭게 진입한 기업은 기존시장의 문제점을 집중분석하여 선두기업 전략과 차별화를 하여 전혀 새로운 방식으로 승부를 걸지 않고서는 불황타계를 할 수 없다.

경기불황기에 시장허점을 영리하게 공략하여 대 성공을

이룬 기업이 있다. 일본 북 오프 설립자 사카모토 다카시는 차별화로 불황을 타파 성공했다. 그는 불황 때는 새 책보다 헌책이 더 잘 팔릴 것이라 판단되어 1990년 중고서점 사업에 뛰어 들었다.

중고서점은 오랜 역사를 가지고 있으며 또 그 수도 많았다. 그래서 사카모토 다카시 씨는 특화하기로 했다. 특화하지 않으면 살아남을 수 없다는 것을 알고 서점분위기를 새 책방 못지않게 밝은 조명에 깔끔한 인테리어를 하고 헌책에서 풍기는 퀴퀴한 곰팡이 냄새를 제거했다. 중고서점의 성패가 걸린 헌책 확보를 위해 '헌책 삽니다' 대신 '당신 책을 우리에게 팔아 주세요' 라고 했다. 직원이 고객 집을 방문 헌책을 사왔다.

창업 14년 만에 국내외에 1,000개가 넘는 매장을 갖고 연 600억 엔 이상 매출을 하는 중소기업으로 성장을 했다.

• 성숙시장의 선두기업은

기존 출시된 상품만으로는 기존 시장의 점유율을 유지할 수 없다. 선두 브랜드 입지를 활용, 기존 고객의 데이터를 철저히 분석 변화하는 고객, 니즈를 공략하여야 불황을 타계 극복할 수 있다.

위기가 기회라는 말이 있다. 불황일 때일수록 움츠리면

안 된다. 시장에 기회가 있고 역량을 갖추고 있으면 불황은 오히려 역전할 수 있는 기회가 된다.

불황기일 때 과감한 투자를 통해 경쟁업체를 따 돌리는 기회로 하라. 호황기보다는 불황기에 성패가 좌우된다. 강자와 약자가 재편되는 시기임을 인식하고 기회를 노려라. 늑대나 악어의 기질 또는 코뿔소의 특성으로 밀어붙여라.

위기는 곧 기회다. 고수들의 말! 말…

위기가 기회라고 한다. 경제 위기는 제반환경과 밀접한 관계가 있다. 개인의 능력, 문화의 발달이 위기를 초래하기도 한다. 위기극복을 위해서는 지식도 중요하지만 지혜가 더더욱 중요하다.

위기는 개인, 기업, 국가 뿐만 아니라 세계 경제에 동시다발적으로 발생할 수도 있다. 경제적 위기는 결과적으로 국가 존패나 개인의 삶에 위험을 초래한다.

위기와 관련 세계적인 경제전문가들의 견해를 보면

(1) 빌 로즈 시티그룹 선임부회장은 "2007년 금융위기가 오게 된 것은 세계인들이 위기관리를 하지 않는 등 잘 못이 너무 많았다"라고 진단을 내 놓았다. 또 "주택파생상품, 신용부도 스왑(CDS) 문제해결을 위해 우리는 무엇인가를 해

야 한다. 우리에게 필요한 것은 똑똑한 규제이고 동시에 금융회사의 자기규제, 유동성 관리, 자본관리, 리스크 관리"라고 했다. 그런 것들이 이행될 때 비로소 금융위기를 극복할 수 있다는 처방을 제시하였다.

또 빌 로즈 시티그룹 선임부회장은 1980년대 남미가 겪은 경제위기 때에는 시티그룹에서 채무조정 실무를, 1990년대에는 아르헨티나, 브라질, 자메이카 등지에서 채무조정을 위한 은행권 고문을 1997년과 1998년에는 아시아, 남미지역에서 외환금융위기가 발생했을 때 위기극복을 위한 채무조정을 조율 위기를 극복하도록 했으며, 1997년 한국에 닥친 금융위기 때는 한국 금융권의 단기 채무를 연장하는 협상을 했던 다양한 경험을 가지고 있는 사람이다.

(2) 비즈스톤 트위터 공동창업자 비즈스톤은 급속도로 변해가는 시대에 맞는 자기변화 없이는 결코 성공할 수 없다는 생각으로 이메일이나 인스턴트 메시지 같은 전통적 커뮤니케이션 수단에서 탈피 하여야 한다고 생각하고 만들어 낸 것이 140자 이내의 짧은 메시지를 작성 휴대폰이나 인터넷을 통해 전송버튼을 눌러 동시에 수백만 명에게 실시간으로 전달할 수 있는 열린 네트워크다.

앞으로 그는 또 트위터가 정보통신의 개방을 확대하여 전 세계에 긍정적인 영향을 미칠 것으로 보았다. "그런 통찰력과 끈기와 인내로써 실천했을 때 비로소 위기극복기회가 포착될 것이다"라고 했다.

비즈스톤은 대학을 중퇴하고 벤처기업에 입사했었다. 비록 대학을 졸업하지는 못 했어도 트위터를 개발 크게 성공했다. 세계적인 신드롬을 일으켰다. 또 그는 다양한 벤처업체들이 트위터 플랫폼을 기반으로 사업이 성장할 수 있는 생태계를 구축하는 것이 최종 목표라고도 했다.

미국 델타컴퓨터는 트위터를 통해 신상품 할인정보를 고객에게 제공한다. 100만 명이 넘는 사람들이 델컴퓨터의 트위터를 폴로하고 있다.

제트블루, 홀마트푸드 같은 기업들도 트위터를 통해 고객과의 접점을 확대하고 있다. CNN, 뉴욕타임스, 가디안 등 세계적 유력매체들도 트위터를 통해 속보를 내 보내고 있다. 현대는 누구나 없이 구태의연한 사고에서 탈피 창조적일 때만 살아남을 수 있다.

(3)나심 니컬러스 탈레브 뉴욕대학교수는 월가 몰락과 9.11테러가 갑자기 온 것처럼 예측불허의 충격이 또 온다고 진단했다.

"그 동안 세계적인 많은 경제학자들이 2007년의 글로벌 경제위기를 예측하지 못하고 낙관적 전망만을 내 세우다 1930년대 겪었던 세계 대공황 못지 않은 최악의 글로벌경제위기를 피할 수 없게 됐다"고 말하고 있다.

나심 니컬리스 탈레브 교수는 블랙스완이라는 모티브를 통해서 예기치 못한 위기상황으로 글로벌경제가 휘청거릴 수 있다는 암울한 전망을 이미 내 놓았었다.

블랙스완에서 '백조는 반드시 희다'는 통념이 진리로 받아드려졌다. 그러나 18세기 호주대륙에서 검은색 백조가 발견되자 기존 통념은 완전히 무너졌다. 수천 년 간 이어온 믿음과 진리가 그 검은 백조 때문에 한 순간에 깨졌다.

위와 같이 위기는 예상하기 어려운 것에서 돌발적으로 나타날 수도 있다. 블랙스완이 나타나면 세상을 뒤집을 정도로 파장과 후폭풍을 몰고 올 것이다.

지구촌의 경제전망은 누구도 예측이 불가능하다. 그래서 기존 경제 집단에게 해법을 구하는 것은 '장님에게 길을 묻는 것과 같다'고 했다.

한 마디로 요행이 아니면 답을 맞힐 수가 없다는 말이다. 그는 "전 세계 경제시스템이 시급하게 해결해야 할 가장 큰 문제는 천문학적 규모의 부채다"라고 했다. 그 천문학적인 부채 때문에 세계 경제회생에 가장 큰 위협요인이 되고 있다고 경고 했다.

부채는

*과다 차입을 한 기업들은 이자 부담과 차입능력 축소 때문에 시장의 극심한 변동성을 감당할 힘이 약해진다. 개별 기업은 물론 전체 경제시스템의 취약성을 부채가 키운다.

*글로벌 라이선의 확산으로 오히려 경제시스템에 복잡성이 확대되면서 예측 불가능한 블랙스완과 같은 극단적인 사태가 발생할 가능성이 더욱 커지고 있다. 무절제하게 부채를 쌓아가고 결국 위험을 맞았다.

*부채의 좋지 않은 특성이다.

그렇다면 부채가 글로벌경제시스템을 망가뜨리지 못하게 하려면 모든 산업부분에서 조직적이고 시스템적인 방식을 통해 부채를 지분으로 출자 전환하는 것이다.

또 그는 '전 세계적인 정부 부양책이 문제를 해결하기 보다는 경제의 과도한 상승 혹은 과도한 하락을 가져와 경제 불안정성을 키울 수 있다' 고 지적했다.

그리고 '대규모 정부 재정적자도 위험하다' 고 했다. 결국 '중앙은행의 무차별적인 통화창출이 인플레이션이 아니라 하이퍼인플레이션을 초래할 수 있다' 고 진단했다. 미국은 '경기 부양책 대신 디 레버리지(차입 축소)를 유도해야 한다' 고 지적했다.

나심 니컬리스 탈레브 교수는 위기극복기회 포착과 그 극복을 위한 처방을 내 놓았다.

월가의 전설 상품투자의 귀재 짐 로저스가 보는 세계 경제위기와 그 대책을 그는 "모험가이자 현장 밀착형 투자자다"라고 하며, "현장에서 피부로 체감한 정보를 투자에 반영한다"고 했다.

　(4) 짐 로저스는 늑대와 같은 예리한 통찰력을 가졌다. 또 얻은 정보를 바탕으로 철두철미한 계획을 세워 실천한다. 지금 그의 관심사는 농산물과 금 그리고 원유 등 원자재를 비롯한 상품투자다.

　미국을 비롯한 전 세계가 글로벌경제 극복을 위해 돈과 채권을 무차별적으로 찍어내고 있는 상황에서 달러화 등 통화가치가 급등락 가능성이 어느 때 보다 커 결국 외환시장의 위험성이 더 크다는 것이다.

　주식시장도 크게 출렁거릴 개연성에 노출돼 있다. 글로벌경제 위기극복 후 원자재 공급부족사태가 유발될 가능성도 크다. 때문에 상품시장을 유심히 살펴, 관심을 가질 필요가 있다.

　앞으로 '미국과 영국은 통화가치하락 문제를 피하지 못할 것이며 상대적으로 상품투자 쪽에 가능성이 많을 것으로 보인다'고 했다.

　그리고 가뭄이나 기상악화가 현실화 되면 식량생산보다 소비가 많아질 것이고 그렇게 되면 몇 년 사이 농산물이 크게 부족하게 될 것이다.

그래서 농산물 투자도 고려해 볼만하다고 했다. 그것이 현실화 되는 날이면 농산물 값이 급등할 수 밖에 없다. 결국 기후변화도 세계 경제를 위기로 몰고 갈수 있다.

짐 로저스는 자녀들에게 중국어를 가르치고 있다. 그 점을 주의 깊게 볼 필요가 있다. 그는 아시아시대가 오는 것은 인류에게 주어진 숙명이라고 보기 때문이다.

그는 '글로벌경제에서 중국의 중요성을 강조한다. 앞으로 세계 시장은 중국을 비롯한 아시아 국가들이 주도할 것이다' 라고 했다.

또 로저스는 흥미 있는 말을 했다. 미래 경제에 대한 의미 있는 말을 남겼다. 그는 "똑똑한 사람이면 1807년에는 영국의 런던에서 살았어야 하고, 1907년에는 뉴욕에서 2007년에는 아시아로 갔어야한다"라며, "당신이 지금 런던에 있다면 잘 못된 시기에 부적절한 곳에 있는 것이고 아시아로 옮겨야 했다" 라는 말을 하였다.

특히 우리는 짐 로저스가 보는 세계 경제위기와 위기극복에 대한 처방을 귀담아 들을 필요가 있다.

위 외에도 조지 소로스, 존 폴슨, 엘렌푸르니에, 제임스 멜처 등 또 다른 경제 전문가들의 말에 관심을 가질 필요가 있다.

그들도 미국 서브프라임과 글로벌 금융위기를 예견하고

금융위기 시 투자에 대한 처방을 내 놓았던 사람들이다.

(5) 조지 소로스는 2007년 이후 경기전망을 비관적으로 보면서도 중국과 인도 브라질에 집중투자를 하고 있다. 그 이유는 이번 금융위기가 중국은 오히려 최대 수혜자가 될 것으로 봤다. 그리고 경기부양책에 따라 글로벌경제의 신생엔진이 될 것으로 전망했다.

(6) 존 폴슨은 2007년 금융위기를 맞아 서브프라임 모기지 와 금융주식을 매각 170억 달러라는 큰 차익을 남겼다.
그 돈으로 모기지 채권과 금, 금융주에 투자를 했다. 그는 2009년 초부터는 주식을 매도에서 공격적인 매수로 바꿨다.

(7) 엘렌프루니에는 서브프라임 위기 전부터 집값 하락을 경고했던 존 폴슨과 견해가 비슷했다. 그는 모기지 채권과 의료분야주식에 투자하고 있다.

(8) 제임스 멜처는 글로벌경제가 여전히 악화되고 있는 것으로 보고 있다. 그는 동유럽 국가 위기 제발 가능성에 대비하여 동 유럽신용부도스왑에 집중 투자를 하고 있다.
미국 경제가 여전히 나빠 일자리 감소로 실업률이 높아

심각한 수준이라며 낙관론을 경계했다.

이렇듯 많은 경제전문가들의 견해가 다르다. 경제 불황의 원인과 향후 전망 그리고 대책에 대해 각기 다른 의견들을 가지고 있는 것을 볼 수 있다.

비즈스톤을 비롯한 각 분야 경제전문가들의 의견을 종합해 볼 때 낙관적 관점보다는 비관적인 측면이 더 강하다.
그 비관적인 견해로는

(1) 금융위기로 미국에서 소비가 저하되고 그 결과 재고가 누적되어 공장가동률이 떨어지고 대량 실업사태가 발생 저 소득 근로자들이 생계위험에 직면하고 있다.

(2) 각국이 경제위기극복을 위해 재정투자를 확대하고 있으나 결과적으로 국가 부채와 통화량이 증가 인플레이션 우려가 커지고 있다.

(3) 미국 달러의 기축통화 붕괴 우려에 따른 미 달러 가치 하락과 채권상환압력이 제 2의 금융위기를 초래하게 될 것이다.
결국 미국 소비감소가 세계 경제를 위축시켜 금융위기를

가져왔다. 또 금융위기극복을 위해 재정투자를 확대 일자리를 창출하고 이자율을 낮춰 소비를 촉진시키려고 노력했다. 그 결과 당장 처한 금융위기를 벗어나고, 경기회복조짐을 보이고 있다. 그러나 근본적인 대책으로는 미흡할 뿐만 아니라 재정투자확대로 인한 세계적인 악성인플레이션 발생 그리고 미국은 달러가치 하락에 빠져 들 것이다.

그 결과 달러화 기축통화붕괴, 미국 경제 붕괴조짐이 나타날 수도 있다. 그렇게 되면 세계 금융질서는 일시에 무너지게 될 것이고, 또 세계 각국은 자국 이익만을 위해 수단과 방법을 가리지 않고 정책을 쏟아낼 것이다. 이 때문에 혼란에 빠질 우려가 있다. 그 결과 1930년대와 같은 세계 경제공항을 맞을 수도 있다.

지금 세계는 경기위축으로 실업률이 증가하고 통화팽창에 따른 인플레이션은 더욱 가중되어 고물가 저소득으로 수요가 전멸상태에 이르게 되고 생산시설들이 줄줄이 멈춰 기업들은 집단 도산 가능성이 우려된다. 그 같은 위기를 막기 위해 세계 각국은 서서히 긴축정책으로 건전한 재정을 운용하되 소비촉진을 위한 소득증대 등 특단의 조치를 취해야 한다.

이를 위해
*중국, 인도, 인도네시아와 같은 인구가 많은 나라와 아프

리카의 미 개발국 등 저 소비국에 자본 또는 기술선진국들이 자본과 기술투자를 확대 그들 국가가 소득을 높여 소비를 확대해야 한다. 미국 등 다량 소비국들의 소비감소를 대체할 수 있는 새로운 소비수요를 창출해야 한다.

*미국 발 금융위기로 세계 경기가 위축 글로벌기업을 비롯하여 각 국의 중소기업들이 매일같이 도산 사라지고 있는 때에 맞춰 오랜 기간 동안 기축통화로써 역할을 해온 미국 달러화가 붕괴되는 날이면 세계 경제는 공황으로 빠져 1930년대 이전으로 회기하고 말 것이다.

이를 막기 위해서는 미국 달러의 기축통화가 일시에 무너지는 것을 막고 자원대국과 경제선진국들이 미 달러를 대체할 수 있는 통화수단을 공동으로 만들어 자유시장 경제질서가 무너 지는 것을 막아야 한다.

*경제회복이 조금 더디더라도 재정투자를 축소 국가부채를 줄이고 통화량을 감축해야 한다. 결과적으로 건전 재정을 편성 운영하여 인플레이션을 막아야 한다.

2007년 이후 계속되고 있는 금융위기 때문에 만약 미국 경제가 도산되어 달러의 신용이 붕괴되면 결국 자유시장 경제가 무너지고 각 국이 신 보호주의로 회귀하게 될 것이다. 그렇게 되면 세계인들의 삶의 질이 현격히 떨어지게 되고 신종풀루와 같은 각 종 질병이 극성을 부려 인류의 종말이 빨라질 것이다.

언젠가는 인류에게 종말이 도래하게 돼 있다. 이번의 세계 금융위기로 그 종말이 빨라지고 있다. 인류의 종말이 그렇게 멀지 않은 미래임이 틀림없다. 그 종말을 늦추기 위한 수단으로 경제발전은 계속되어야 한다.

지속적인 경제발전은 인류역사를 계속 써 나아가는 것이다. 금융위기는 극복돼야 한다. 경기변수는 다양하다. 다양한 변수만큼 대책도 다양하다. 그러나 완벽하고 장기적인 대책은 없다. 그래서 성공에 대한 수단이나 위기 대책에 정답도 있을 수 없다. 다만 위기를 예측하고 그 극복을 위한 수단과 시기를 포착 적절한 실행만이 실패를 피하고 성공할 수 있는 길이 있다.

금융전쟁 발발

지금 세계는 금융위기에 휩싸여 갈팡질팡하고 있다. 선진국을 비롯하여 세계 각국이 금융위기에 대한 대책마련에 급급하고 있는 와중에 미국과 중국은 기축통화 패권을 두고 보이지 않게 신경전을 펼치고 있다.

또 한편으로는 국제 금융시장에 '달러캐리트래이드' 라는 시한 폭탄이 터지기 일보 직전이다.

미국이 경기부양을 위해 지속적인 저 금리정책을 쓰고 있는 동안 다른 나라 시중은행이나 기업 및 정부투자 기관에서 자국 이자에 비해 비교적 싼 미국 달러를 차용하여 자국 내에서 이자놀이를 하고 있다. 달러 수요가 늘어나 달러 유출이 급증하고 있다.

이와 같이 달러캐리트래이드가 가속되면 국제 외환시장에 달러공급이 증가하고 반대로 다른 나라 화폐 수요도 늘어나 다른 나라의 화폐가치는 올라가고 상대적으로 미국의 달러가치는 폭락하게 된다.

  결국 달러가치 폭락은
  *미국의 신용붕괴로 이어져 세계 경제공황에 직면하게 될 것이다.
  *달러를 기준으로 가격이 정해지는 석유나 곡물 같은 원자재가격이 폭등하는 현상이 발생하게 될 것이다.
  *달러캐리트래이드는 미국 정부가 엄청난 재정적자를 지게 됨으로써 기축통화 위치를 상실할 수 있다.

  이 밖에도 미국이 달러캐리트래이드 청산을 위해 통화정책을 바꿔 금리를 인상시키면 외국으로 빠져나갔던 달러가 미국으로 되 돌아가게 될 것이고, 전 세계는 엄청난 경제위기에 휩쓸려 전 인류는 큰 어려움을 겪게 될 것이다. 우려한 더블딥이 현실화 될 것이다.
  뉴욕대학교 누리엘루비누 교수는 "미국이 저 금리정책 기조를 바꿔 금리를 인상하게 되면 달러캐리트래이드가 청산되면서 세계 경제는 한 번 더 큰 고통을 겪게 되고 거품붕괴 현상이 나타나게 될 것이다"고 말했다.
  미국의 금리인상은 세계 경제에 시한폭탄으로 등장 인류의 미래가 걸려있다. 정부는 그 점을 예의 주시해야 한다.

기업 또한 한시도 방관해서는 안 된다.

미국의 저 금리정책은 달러의 가치하락과 신용추락, 금 값 폭등으로 이어진다. 금은 1970년대 후반 오일쇼크 이후 그 값이 서서히 오르고 있었다.

금은 신이 인간에게 준 선물 중 귀중한 선물이다. 인간들이 금을 갈구하는 것은 거의 본능적이다. 금은 인간들이 살아가는데 없어서는 안 되는, 반드시 필요한 것도 아니다. 삶을 위해서라기보다는 삶의 질을 위한 하나의 장식에 불과한 금속에 지나지 않는다.

그런 금을 인간들은 왜 갈구하는 걸까, 금을 만들기 위해 연금술에 목숨을 걸기도 했고, 남아프리카 요하네스버그와 미국 서부의 개척도 금에 대한 인간들의 갈망 때문이었다. 금은 절대량이 부족한 희귀한 광물로 제 아무리 많은 시간이 지나도 훼손되거나 변하지 않는 가치를 지녔다. 그래서 금은 모든 재화의 가치척도로 사용되어 왔고, 금을 쟁취하기 위한 전쟁의 역사도 있었다.

오늘날 금값이 치솟는 것은 미국의 경제적 권위추락과 달러화 가치하락으로 신용이 떨어지는데 있다.

영국에서 일어난 산업혁명은 1870년 금 본위를 채택, 독일, 프랑스, 미국 등지로 확산되면서 금의 수요가 비약적으로 증가했다.

그 후 세계 대전이 벌어지면서 1914년을 시작으로 금본

위제가 붕괴되었다. 세계 2차 대전 이후 국제통화기금을 중심으로 브레턴우즈체제가 탄생, 금 1온스 당 미화 35달러로 고정시켰다. 그리고 각국 통화를 달러에 연결시켰다.

달러를 기축통화로 세계 경제는 호황을 누리게 됐다. 그러나 세계 2차 대전이 끝난 뒤 흔들리기 시작, 베트남 전쟁으로 미국은 국제 수지적자와 전비조달을 위해 달러를 지속적으로 발행, 인플레이션과 경기둔화가 동시에 나타나 스태그플레이션이 시작됐다. 그러자 영국이 대규모의 달러를 금으로 바꿔 줄 것을 요구하기에 이르렀으며, 미국은 금으로 교환을 거부, 금 본위제가 붕괴됐다.

결국 미국은 브레턴우즈체제를 붕괴시켰다. 그 와중에 1973년 제 1차 오일쇼크를 겪었고, 1979년엔 제 2차 오일쇼크를 겪게 됐다. 제 2차 오일쇼크로 인플레이션이 심화되면서 미국의 경제적 권위는 실추되기 시작하고 금값 폭등이 예고됐다. 1990년대 미국이 효율성 강화를 요체로 한 신경제와 정보기술 산업육성을 추진하면서 경제를 부활시켰다.

그럼으로써 금값 상승이 멈추고 하락하기 시작 안정이 됐다. 그러던 것이 2001년 9월 11일 뉴욕에 있는 월드트레이드센터가 테러로 붕괴된 것을 기점으로 서서히 오르기 시작, 2002년 10월 중국 상하이에 금 거래소 설치와 2003년 3월 이라크전쟁이 발발, 달러 약세 국면이 계속되면서 금

값은 지속적으로 올랐다.

그러던 차 2007년 미국에서 시작된 금융위기가 세계 금융시장을 강타 전반적인 경제위기와 금값 폭등이 본격적으로 나타나기 시작했다. 달러에 비해 금을 선호하기 시작했다.

한 때는 세계가 미국과 소련을 축으로 두 갈래로 갈리어 자국 이익을 위해 치열한 쟁탈전을 벌렸다. 결국 소련이 붕괴되고 자본주의와 시장경제를 추구하는 미국의 독주가 시작됐다.

미국의 독주는 오히려 이라크전쟁을 가져왔고, 이라크전쟁은 전비조달을 위한 적자재정으로 인플레이션 압력이 증대됐으며, 9·11 테러사건으로 실추된 신용이 겹쳐, 2007년 이후 발생한 금융위기가 리먼브러더스 붕괴와 경기침체로 달러 값이 추락하고 금 값이 상승하게 됐다.

이를 계기로 인도 등 세계 각국의 중앙은행이 금을 사들이고 있다. 2006년까지 전 세계에서 생산된 금 15만 8천 톤 중 중국은 1,100톤을 보유하고 있다. 러시아가 550톤, 미국이 9,000여 톤을 보유하고 있다.

그러나 미국은 적자재정에도 불구하고 보유한 금을 팔지 않는다.

금을 팔면 재정에 큰 도움이 되지 않으면서 금만 없앤다는 불안감.

달러화에 대한 가치하락으로 신용만 추락된다는 심리적 불안감이 가중되고.

금 매각 뒤 금값 상승이라는 가격 변동성에 대한 우려를 하고 있으며.

금을 매각하면 미국 국채수요가 급감하게 된다(미국 국채를 팔아 금 보유를 늘린다)는 우려 때문에 선뜻 금을 팔지도 못한 실정이다.

미국의 달러가 기축통화로의 역할이 위협받자 중국이 위안화를 기축통화화에 나섰다. 그러나 현재로서는 위안화가 달러를 대체하여 기축통화화하기는 쉽지 않다. 일본 와세다대학교 사카키바라에이스케 교수는 위안화를 기축통화로 하기에는 아무리 빨라도 2020년 이후에나 가능할거라고 전망했다.

그러나 기축통화로써 달러는 그 수명을 다 했다는 징조가 곳곳에서 드러나고 있으며, 많은 경제전문가들의 견해도 그렇다. 그래서 기축통화 대안으로 유로화, IMF특별할인권(SDR)을 들고 있으나 달러를 대체하기에는 미흡하다는 의견들이어서 기축통화가 없는 '화폐아노미'를 우려하는 목소리가 크면서 영원히 훼손되거나 변하지 않는 가치를 지닌 '금'으로 수요가 몰리고 있다.

금융전쟁은 이제 시작단계다. 21세기 시작과 동시에 인류에게 닥친 대 재앙일 수 밖에 없는 이런 금융위기 극복이 결코 만만치 않다. 이번의 위기대처에 따라서는 미래의 인류는 지금보다도 수백 년 뒤로 되 돌아갈 수도 있다.

이런 때에는 세계 각국 지도자들은 자국의 이익에만 급급하지 말고 미래의 인류를 위해 머리 맞대고 함께 고민해야 한다.

자국의 이익보다는 인류의 삶을 위해 협동과 희생이 필요하다. 그리고 탁월한 통찰력에 의한 상황분석도, 끈기와 인내로써 실천도 필요하다. 그런 노력 없인 세계에 몰아닥친 경제위기를 극복할 순 없다.

5부

저탄소 녹색 성장시대 유망직업

기후와 기업 간의 관계

세상에 영원히 존재하는 것은 없다. 생겨나면 반드시 없어진다. 그것을 거역할 수도 피할 수도 없다. 지구상에 존재하는 생물이나 무생물은 말할 것도 없을 뿐만 아니라 인간이 만들어낸 물질을 포함한 모든 것이 어느 땐 가는 사라지고 만다.

산업도 문명의 발달에 따라 변한다. 어제 필요했던 기술이나 지식이 내일이면 무용지물이 되기도 한다.

자연도 변한다. 기후변화에 따라 지구가 요동을 친다. 한대지역이 온대로, 온대가 아열대로 양극지역의 빙하가 점차 사라진다. 육지가 침수 바다가 된다.

십 수 년 전까지 만해도 우리나라는 사계절이 뚜렷했다. 봄이면 개나리, 철쭉꽃이 산천을 노랗고 붉게 물들였고, 여름이면 강렬한 햇볕에 자란 초목이 짙은 녹음을 이루어 산야가 싱그러웠고, 가을이면 높은 하늘 아래 오곡이 영글어 풍성했으며, 겨울이면 산과 들이 하얀 옷으로 갈아 입어 초가집 처마 끝엔 고드름도 치렁치렁 달려있고, 개울가 얼음 위에서 썰매를 타며, 동네 개구쟁이 아이들 마음을 설레게 했다.

봄, 여름, 가을, 겨울에 맞게 골고루 산업도 발전하고, 음식도 만들어 먹고 과일이나 농작물 재배도 했었다. 두꺼운 이불이며 옷이 필요한가 하면, 얇은 이불도 옷도 필요했다. 따끈따끈한 음식도, 시원한 음식도 필요했다. 거기에 맞는 산업도, 기술도 필요했다. 겨울철에 자란 농작물 재배도, 여름철에 자란 농작물도 재배했었다.

18세기 후반 영국에서 일어난 산업혁명 이후 인간이 사용한 화석연료에서 발생한 CO_2가 계속 증가하여 지구가 펄펄 끓는 불덩어리로 변해가고 있다.

그 영향으로 우리나라도 온대에서 아열대 기후지대로 점차 변해가고 있다. 봄 가을을 느끼기 어려울 정도로 겨울에서 여름으로 건너뛰고 또 여름에서 겨울로 건너 뛰어버린다. 봄 가을과 겨울이 짧아지고 보다 길어진 여름이 되었다.

강한 햇볕과 시원한 그늘 변덕스러워진 날씨에 수시로 쏟아 붓는 소낙비는 생물의 생육지대를 변화시켜 대나무나 소나무 같은 한대나 온대기후지대 식물이 점차 북상을 한다.

우리나라 남쪽 지방에서 자란 소나무는 점점 사라져 가고 한반도 내륙의 대전지역 이남에서만 생육하던 대나무가 서울에서도 자라고 봄이면 죽순이 돋아 자란다. 한 겨울 서울지방 양지바른 길가나 담장 밑에서 개나리꽃을 볼 수 있는가 하면 도로변에 심어진 철쭉이 꽃망울을 터트려 겨울 나그네들의 발길을 멈추게 한다.

여기에 맞춰 기업도 변해야 한다. 변화하지 않는 기업은 망한다. 기후변화에 따라 수요가 급격히 늘어날 업종이나 산업으로 변해야 한다.

옷감을 생산하고 옷을 만드는 기업의 경우는 땀을 흡수하고 촉감이 시원한 기능성 옷감을 생산하는 기업으로 또 건설업의 경우는 아열대성 기후에 적합한 건축양식으로, 시공기술을 개발 시장을 선점하여야 한다. 아열대성 기후지대나 열대성 기후지대에서 성행하는 산업으로 눈을 돌려야 한다. 모피산업이나 뜨거운 음식만을 취급하는 식당, 또 사계절에 맞는 건축시공기술만 보유한 건설업체는 향후 시장의 변화를 예의 주시하여 예리한 통찰력에 의해 기회를 포착 적절한 시기에 변해야 한다.

UBS의 런던환경그룹 대표 완다김의 말을 빌린다면 "녹색금융은 기후변화가 가져오는 리스크와 기회를 적절히 활용하는 것, 그래서 기후변화를 이용한 사업모델은 앞으로 무궁무진할 것"이라고 말 했다.

　UBS는 "친환경기술지원을 위한 금융자문, 탄소거래 등으로 수익창출을 모색하고 있다고 했다. 또 기후변화 등 환경문제에 관심을 갖는 이유는 이 분야에서 새로운 기회를 찾을 수 있다고 보기 때문이다"라고 했다.

　완다김은 "전망 있는 시장으로 탄소배출권시장이라고 했다. 지구의 온난화방지를 위해 탄소배출을 규제, 이로 인해 세계에는 탄소배출권이라는 새로운 자산이 생겼으며, 그 시장 규모도 급속하게 확대되어가고 있다"라고 했다.

　완다김의 예상에 따른다면 앞으로는 기업신용평가나 여신심사 때 해당기업의 환경문제에 대해서도 평가를 하게 될 것이다. 사회책임투자와 기후변화, 기타 환경이슈를 분석하고 보고서를 내도록 한다면 기업들의 환경위험을 평가할 때 전문인력을 보유한 평가전문회사가 필요하게 될 것이다.

　한 가지 분명한 것은 전 세계에 걸쳐 환경요인이 갈수록 중요해지고 있는 점을 감안해 볼 때 환경관련 산업이나 기술 제품 등으로의 전환이 되지 않고서는 성공이 쉽지 않을 것이다.

전지연료 세계대전 발발

• 배터리 대왕 왕촨푸

1995년 왕촨푸 회장은 친척에게 250만 위안을 차용 충전용 휴대폰배터리 제조회사 BYD를 창업, 14년 만인 2009년에 세계 제 2위 업체로 급성장했다. 이 때문에 중국에서는 왕촨푸 회장을 배터리 대왕이라고 부른다.

또 경영 위기로 흔들리는 중국 소형자동차업체를 인수한 지 5년 만에 전기자동차 F3DM모델을 개발했다. F3DM모델은 1회 충전하여 400km를 달릴 수 있다. 뿐만 아니라 '철인산염'을 이용 안전성을 높인 배터리를 만들어 세계에서 선두 주자가 됐다. BYD는 2025년까지 세계 자동차시장 점유율 1위를 목표로 야심 찬 계획을 세워 추진하고 있다.

한편 BYD 왕촨푸 회장은 창업 14년째인 2009년 현재 미화 51억 달러의 재산을 소유 세계에서 100대 이내 갑부며 중국에서 1위 거부가 됐다.

왕촨푸를 중국에서는 능력이 뛰어난 기술자로 발명왕 에디슨에 비유하기도 한다. 또 GE처럼 사업능력이 뛰어나 기술과 경영능력을 겸비한 유능한 인재라고 한다.

이렇듯 왕촨푸 회장이 짧은 기간에 급성장하게 된 배경에는

*가까운 장래에 정부가 자동차산업에 대해 금융지원, 세금감면 및 보조금 등 전폭적인 지원이 있을 것을 예상하고 미리 사업을 착수했다.

*중국에는 유럽 보다 능력이 뛰어난 젊은 기술자가 많아 어떤 물건이든지 쉽게 만들 수 있었다.

*다른 사람이 생각하는 것을 실행하고 또 다른 사람이 생각하지 못하는 것을 생각할 수 있어야 한다"라는 경영철학을 가지고 무슨 일에나 충실했었다.

*기술자들을 '나의 자본'이라고 중시 했었다.

*직원 30만 명에 기술자 3만 명의 세계적인 기업으로 성장시키겠다는 포부를 가지고 성실하게 실천했다.

BYD가 성공하는 되는 늑대의 특성과 같은 왕촨푸의 기질과 끈기, 인내가 어우러져 일궈 낸 결과다.

• 태양전지 생산

녹색산업 중심에 태양전지가 자리 잡고 있다. 미래 성장 산업 중 빼 놓을 수 없는 중요한 산업이다. 그래서 국내외 적으로 태양전지개발에 치열한 경쟁이 벌어져 진행 중이 다.

국내에서는 미리넷솔라, 삼성전자, LG전자, 현대중공업 이 태양전지개발에 치열한 경쟁을 하고 있다. 그 외에도 한 화, STX 등이 적극적으로 가담하고 있다. 뿐만 아니라 세계 도처에서 수많은 굴지의 기업들이 태양전지개발을 위해 전 력투구를 하고 있다. 그들 가운데 독일의 큐셀이 세계 시장 의 약 11%를 점유 1위를 차지하고 선테크가 2위를 그리고 일본의 샤프, 중국 LDK 등이 선두다툼을 하고 있다.

특히 중국의 선테크와 LDK가 세계 태양에너지산업을 뒤 흔들고 있다. 국내 업체 중에서는 '미리넷솔라'가 2009년 말까지 90메가 톤급 시설을 하여 3만 가구가 1년 쓸 량을 생산한다. 그리고 독일, 이탈리아, 인도, 홍콩에 제품을 수 출하고 있다. 뿐만 아니라 미리넷솔라가 생산한 제품은 전 지제품의 광 변환효율이 우수하여 유럽 등지에서 호평을 받고 있으며, 2012년까지 수출물량을 확보해 놓은 상태다.

한편 LG전자는 240메가 톤급 대 규모 시설을 갖추었으 며, 삼성전자는 태양전지 연구개발 팀을 만들어 본격적인 연구에 착수했다. 삼성전자는 파일럿 라인에 필요한 장비 중 85%를 국산화 했다.

또 결정형 태양전지의 광 변환효율을 업계 최고 수준까지 달성 해 놓은 상태로 고효율 태양전지를 개발할 수 있는 큰 틀을 마련 해 놓았다.

현대중공업은 KCC와 협력 일관생산체제를 구축했다. 또 한화와 STX도 태양전지 개발에 적극적으로 나섰다.

특히 선테크의 스정룽 회장은 호주 뉴사우스웨일스대학에서 태양전지 연구로 박사학위를 받았으며 태양전지분야를 다년간 연구, 2001년 미화 200만 달러를 가지고 사업을 시작했다. 그 뒤 곧바로 중국 정부와 투자자들을 설득, 사업을 확장 단기간 내 크게 성공한 사람이다.

그는 창업 당시 중국 내 수요가 적어 해외수출에 적극 나섰다.

선테크의 성공 비결은
*초기에 정부지원을 받아 대 규모로 투자, 규모의 경제로 생산성을 높여 이윤을 극대화 했다.
*신 재생에너지를 성장동력으로 삼고 지방 정부가 그 지역에서 생산하는 설비를 사용, 수요자를 확보 생산했다.

지금 인류에게 주어진 과제는 지구온난화 방지다. 지구온난화 방지를 위해서 화석연료 사용감축이 불가피 하다. 때문에 화석연료를 대체할 에너지개발이 긴요하고 시급한 상황이다.

생태계변화방지 등을 위해 태양전지는 미래 에너지로써 개발이 불가피하고 그 개발선점이 기업으로써는 중요한 시기다.

미래 지향적인 기업은 태양에너지개발연구에 적극 투자하고 있다. 뿐만 아니라 산업선진국 또는 에너지 다량 소비국가들 간에는 태양전지개발 싸움이 치열하게 전개되고 있다.

기업이 살아남기 위해서는 언제나 지속적인 변화가 필요하다. 그러기 위해서는 경제발전에 따른 소비성향의 변화 그리고 미래의 시장을 종합분석 할 수 있는 능력이 필요하다. 그런 차원에서 태양전지개발에 많은 기업들이 연구개발투자를 하고 있다. 살아 남기 위한 치열한 투쟁을 하고 있다.

• 전지자동차

자동차배출가스로 인한 대기환경오염을 줄이기 위해 세계 자동차제작사들이 경쟁적으로 친환경차개발을 서두르고 있다. 그 일환으로 수년 전부터 가솔린, 디젤, LPG를 사용하는 하이브리드 카 개발생산에 경쟁적이었다. 최근에는 전기차 플러그인 하이브리드 카 생산을 병행하여 기술개발에 집중하고 있다.

현대자동차는 순수 전기자동차 'i10일렉트릭'을 개발했다. i10일렉트릭은 유럽형 경차 i10을 기반으로 49kw 전기모터와 13.1kw/h 리듬이온 배터리를 장착 1회 충전으로 시속 130km로 최대 160km까지 달릴 수 있다. 충전은 413V로 15분 만에 85%까지 충전이 가능하다.

프랑스 르노도 배기가스 제로인 전기자동차를 2011년부터 양산 저렴한 가격으로 수요자에게 공급하겠다고 선언하고 개발 중이다.

또 닛산 얼라이언스, 아우디, 푸조, 크라이슬러가 플러그인 하이브리드 카 생산에 회사 성패를 걸고 연구개발을 하고 있다. 경제성이 있는 전기자동차개발의 선점에 자동차 제작사의 운명이 달려 있다.

• 수소연료 전지자동차개발에 적과 동침

미래의 친환경차로 수소연료 전지자동차 개발이 필요하다.

자동차 제작업계에서는 이를 위해서 현대차와 기아차, 다임러크라이슬러, 포드, GM오펠, 르노닛산, 도요다, 혼다 등 7개 사가 공동개발을 서두르고 있다.

2015년 이후 수 십 만대 규모 수소연료전지차를 상용화하겠다는 계획이다. 수소연료전기차 부분에서 현대·기아자동차가 기술력을 인정받은 상태다.

전기연료 한 가지만 놓고 보더라도 지금 세계는 한 시도 머물러 있지 않고 긴박하게 변하고 있다. 이럴 때일수록 남다른 노력 없이는 성공할 수 없다. 주변을 세심히 살펴 기회를 놓쳐서는 안 된다. 인내와 끈기로써 이루어 내야 한다.

수소연료 전기자동차 개발에서 볼 수 있듯이 성공을 위해서는 필요할 때 적과도 동침을 마다하지 않는 현실을 알아야 한다.

영원한 우정도, 영원한 적도 없는 세상이다. 친구가 적이 되고, 적이 친구가 될 수 있다는 생각을 잊어서는 성공할 수 없다. 혹자는 그런 행동을 보고 비굴하다고 할지 모르나 그것이 결코 비굴한 행동이라 할 수 없다. 함께 사는 세상, 공동생활을 해야만 하는 현실에서는 공동의 이익을 위해서 필요하다.

세계적인 경제위기에서 살아남기 위한 전략

세계 경제위기가 발생하는 과정에는 다양한 원인이 있지만 궁극적으로는 소비감소, 기업경영 부실 또는 국가경제 정책 실패로 시작되어 결과는 국민경제 위기 또는 파산을 불러온다.

경제위기와 관련 '입에 쓴 약일수록 몸에 좋다' 라는 말이 있다. 모건스텐리 아시아지역 스티븐 로치 회장이 한 말이다.

스티븐 로치 회장은 경제분석 전문가 중 한 사람이다. 경제전망에 대한 예측의 대가다. 예리한 관찰과 통찰력이 뛰어나 경제 또는 증시 전망은 물론, 변화하고 있는 세계 경제질서에 관한 한 누구도 그의 이론에 반론의 여지가 없는 세계 최고 권위자다.

스티븐 로치 회장은 작금의 세계 금융시장에 대해서 비

관적인 견해를 가지고 있다. 문제는 불행하게도 그가 말하는 비관적인 생각이 지금까지 맞아왔다는 것이다.

그는 "전 세계 경제회복은 여전히 미약하고 어려운 상황에 빠져 있다"며, "글로벌 수요가 위기 이전 수준으로 회복되는데 몇 년이 더 걸릴지 모를 뿐만 아니라 글로벌 불균형도 여전하다고 했다. 문제는 미국을 대체할 만한 소비대국이 없다는 점"이라고 했다.

스티븐 로치 회장은 세계 금융위기가 가져온 전반적인 경제위기를 극복하기 위해서는 아시아가 미국 소비를 대체해줘야 하는데 아시아는 그 역할을 하기에 문제가 많다고 했다.

그 문제 중 대표적인 것이 '아시아는 수출 비중이 높아 자주적 경제리더십을 발휘할 수 있는 내수시장 확보를 만족시키지 못 하고 있다' 라고 했다.

그는 '수출 의존적 성장모델에서 벗어나 내수를 확대하는 방향으로 성장모델을 변화시키는 것이 넥스트 아시아의 핵심' 이라며 경기회복에 대한 대안을 제시했다. 그는 '아시아가 이 같은 방향으로 나아가고 있는 점은 다행이다' 라고 했다.

그러나 스티븐 로치 회장이 지적한 것과 같이 아시아지역에서 소비수요가 증가하지 않고는 단기간 내에 경기회복이 불투명하다. 이럴 때에는 아시아를 비롯한 각국 지도자들은 자국의 이익에만 급급하지 말고 세계 인류가 보다 나은 삶의 질을 향상시킬 수 있도록 협동정신과 희생정신을 발휘 해줘야 한다. 그런 점에서 본다면 글로벌 경기회복을 위해서 거대 인구를 가진 중국과 인도가 자국의 이익만을 앞세우는 경쟁에서 벗어나야 한다.

중국은 고도성장의 여력을 세계 경제회복과 인류의 복지 증진을 위해 노력해야 한다.

또 경제선진국들은 인도의 발전을 위해 적극적인 투자를 할 수 있는 분위기를 만들어줘야 한다.

그렇게 하여 중국은 소비를 지금의 5~7배 정도로 향상시켜 수입을 늘려야 한다. 또 인도는 국민소득을 높여 소비를 촉진시켜야 한다. 그렇게 했을 때 비로소 미국 소비를 대체, 세계 경제가 재차 도약의 길로 접어들게 될 것이다.

세계 경기불황 타계와 금융위기 극복은 인류의 희망이고 삶의 질을 높이는 바람이다. 세계 경기회복은 기업의 생존과도 밀접한 관계이며 인류의 삶과 관계된다.

국가나 기업 그리고 개인 한 사람 한 사람의 성공에 커다란 영향을 미친다. 이럴 때야 말로 전 인류가 세계 경기불황이라는 위기를 극복하기 위해서는 늑대와 같은 협동정신과 희생정신이 필요하다. 위기극복을 위한 인내와 투지가 필요하다.

경영혁신의 결과는 달다

 인간이 살아가는데 있어 '혼자서 독불장군처럼 살 수 없다' 라는 말이 있다. 이는 협동과 공동생활의 필요성을 의미한다.

 동물 중에서 늑대는 협동심이 매우 강한 동물이다. 그래서 단결이 잘 된다. 또 희생정신이 뛰어난 동물이다. 늑대가 먹잇감을 사냥하면서 혼자공격하지 않는다. 무리를 지어 공격하되 사방으로 흩어져 포위를 한다.

 포위망을 좁혀가면서 공격을 한다. 경제적인 수단으로 사냥을 한다. 그리고 실패율이 낮다. 야생육식동물들 중 먹잇감 사냥 성공률이 가장 높은 동물이다.

 공동생활이 중요한 것은 비단 늑대 뿐만이 아니다. 인간이 살아가는데도 혼자보다는 공동으로, 합동으로 했을 때 성공확률도 높고 보다 빨리 성취할 수 있다. 그래서 기업은 직원 한 사람 한 사람을 중요시 하고 직원들로부터 협동심을 발휘하도록 해야 한다.

런던 비즈니스스쿨 객원교수이며 국제컨설팅회사 스트래티고스와 경영전략가들 모임 '엠랩'을 운영하고 있는 개리 하멜은 "지금 세계는 지식기반경제에서 창의성 기반경제(creativity based economy)로 나아가고 있다"고 했다. 그리고 그는 "과거의 경영 유산을 그대로 답습하면 발전이 없다"며, "경영혁신이 이루어져야 한다"고 했다.

즉 "임직원의 자율성을 확대하고 참여기회를 늘려 기업의 경영활동 전반을 변화시켜 기업구성원의 창조성을 향상시키고 구성원 전원을 혁신운동에 참여시켜야 성공한다"고 했다. 즉 "기업이 임직원을 포함한 전 직원을 이용했을 때 성공할 수 있으며 그 속도도 빨라진다" 라고 했다.

개리 하멜은 기업이 살아가기 위해서는 "빠른 변화, 과도한 경쟁 그리고 직원들을 섬기고 영감을 주는 회사가 돼야 한다"고 했다. 또 "창의기반 경제에서 중요한 것은 회사를 위해서 임직원들이 얼마나 열성적이느냐에 달려 있다. 그런데 요즘 대부분 기업들의 임직원들이 회사를 위해 몸과 마음을 모두 바치는 사람이 10%에 불과하고 나머지는 몸만 와 있다"고 했다. 그런 회사는 경기가 조금만 나빠도 도산 위기를 맞는다.

어떤 경우도 회사가 성공하기 위해서는 모든 임직원이

회사에 몸과 마음을 바치는 태도를 가져야 한다.

　창업 10년 만에 글로벌기업으로 성장한 구글은 대표적인 창의적 기업이 됐다. 구글은 4~5명으로 구성 자유로운 분위기에서 직원 한 명 한 명의 생각을 듣고 그 의견을 종합 추진하는 단결력을 발휘 성공을 이뤘다. 경영자는 과감한 열망을 지녔다. 언제나 만족하지 않았다. 창의적이었다.

　이것이 구글이 성공한 비결이다. 결국 구글은 직원들을 중시하고 그들을 잘 이용 성장을 이루어 낸 기업이다.

　결과적으로 긴박하게 변화하는 현대사회에 사는 사람이나 기업이 살아남고, 뿐만 아니라 보다 낳은 성장을 위해서는 전통적인 사고에서 벗어나 주위사람들이나 사내 임직원의 의사를 존중하고 그들의 지식이나 지혜를 잘 활용해야만 성공을 이룰 수 있을 뿐만 아니라 지속적인 성장이 가능하다.

　이를 위해서는 늑대의 협동심, 단결력과 같은 근성이 필요하다.

사고는 긍정적이고 실천은 성실하게

'긍정적인 사고와 성실한 실천'은 성공한 사람에게 빼놓을 수 없는 말이다. 이 말은 너무 자주 들어 새롭지 않으리라 믿는다. 그런 말을 왜 하려고 하는지 귀 기울여 보아라.

'말이 씨가 된다.'는 우리 속담이 있다. 말은 가슴에서 우러나온다. 가슴은 생각의 샘이요, 실천을 통제하는 사령탑이다. 그래서 말이 씨가 된다고 했다.

가슴속에서 우러나오는 생각, 사고는 부정적인 측면과 긍정적인 측면이 있다. 긍정적인 생각을 갖고 성실하게 실천하면 긍정적인 결과를, 부정적인 생각으로 실천을 소홀히 하면은 그 결과는 득보다는 실에 그친다. 그래서 생각이 중요하다. 긍정적인 생각을 해야 한다. 그리고 성실하게 실천해야 한다.

2007년 미국에서 시작된 금융위기는 세계 경제를 불황으로 몰고 가고 있다. 전 인류가 불안에 떨고 있다. 2년 여가 지난 2009년 말이 됐는데도 경제 전문가들을 비롯한 대다수 기업인들은 경기전망을 긍정보다는 부정적인 측면에 보다 더 무게를 두고 있다.

더블딥 경제위기를 우려하고 있다. '달러캐리트래이드'로 세계 대 공황을 우려하고 있다. 미국의 금리정책이 드라마에 빠져 있다. 미국의 저 금리정책은 달러의 다량 유출로 이어지고, 미국이 저 금리정책을 포기, 금리를 현실화 또는 고 금리정책으로 전환하면 다량의 달러가 일시적으로 유입, 전 세계 금융시장에 대 혼란이 초래되어 금융공황으로 휘 몰릴 수 있다. 이토록 경제적 위기가 지속되고 있는 가운데 우리에게는 다행스러운 측면이 있다.

희망의 홀씨가 있다.

개방적이며 긍정적인 사고로써 방만한 소비를 즐기는 인터넷세대들이 경제의 중심에, 소비의 축으로 떠 오르고 있다. 겁 없는 세대, 기존의 틀을 깨고 새로운 것에 도전하는 것을 즐기는, 위험을 모르는 세대들이 바로 희망의 홀씨다.

위험을 모르는 세대들은
*폐쇄보다는 개방적이며, 소극적 참여가 아닌 적극적으로 참여한다.

*일반적이며, 대중적인 것 보다는 특별한 것으로 나만이 즐길 수 있는 것에 중점을 둔다.

  *미래를 생각하지 않고 현실을 중시하며, 긍정적인 사고로 자기 중심, 자기관리로 만족한다.

새로운 소비 중심으로 다가서는 신 세대들을 위해서 항상 변화된 새로운 시각을 제공하여야 한다. 항상 똑 같은 단순한 제품을 제공하는 것 보다는 그 제품을 통해 즐거움을 갖도록 새로운 제품을 제공해야 한다.

나를 강조하는 마케팅을 하라, 긍정적으로 접근하라, 그러면서 성실하게 접근하라, 금융위기도, 달러캐리트래이드도, 우려되는 세계 대 공황도, 그렇게 했을 때 비로소 위기를 슬기롭게 넘길 수 있을 것이다.

중요한 것은 긍정적인 사고요 성실한 실천이다. 그것은 당신의 미래를 따스한 햇볕으로, 밝은 태양 아래로 인도할 것이다.

디지털세대를 겨냥, 기업경영을 세워라

시장은 수요가 있어야 한다. 21세기는 다변화된 사회구조 때문에 시장 또한 혼란 속에 빠져 있다. 어제 만든 제품이 햇볕도, 시장 바람도 느끼지 못하고 재고로 창고 속에서 깊은 잠에 빠져 있다.

그런 가운데도 1980년대 이후 태어난 넷 세대들은 더 빠르고 더 많은 변화를 원하고 있다. 그들은 생활방식도, 인간관계도, 인내도, 가치와 사고방식도 기존세대와는 전혀 다른 상상을 초월하는, 이해 할 수 없는 사고로 사물에 접근하고 있다. 문제는 그들이 수요의 중심에서 소비의 축으로 진화하고 있다.

넷 세대들의 특징을 살펴보면 뚜렷한 개성을 바탕으로 자유스러운 행동과 떠 오르는 대로, 생각나는 대로 하는 말투다. 그리고 독단적인 것 보다는 여론화시켜 공동으로 목

소리를 낸다. 생각이 깊지 않고 자기 생각만 옳고 기성세대
들의 생각은 잘못됐다고 무시하는 경향이 있다.

디지털 속에 묻혀 사는 넷 세대들은

- 최고의 가치는 자유라고 한다.
- 자신만의 것을 추구한다.
- 자유분방을 최고의 가치로 한다.
- 독립적인 곳 보다 협업을 바란다.
- 비판적 사고로 곧 행동한다.
- 투명한 기업을 강조한다.
- 빠른 변화를 갈구한다.

이런 넷 세대들이 소비의 중심이 되는 시대가 이미 진행
되고 있다. 넷 세대 이전 세대들의 소비는 점차 감소 추세
다. 한 세대가 지나가기 전 그들을 위한 시장은 살아 질 것
이다. 먹는 것, 입는 것, 생활용품 어느 것 하나도 변화하지
않을 수 없다.

밥이나 국 대신 햄버거, 토스트에 우유나 콜라, 정장 대신
케쥬얼, 구두 대신 스포츠화, 온돌 대신 침대, 장롱 대신 붙
박이, 전화기, 라디오, 텔레비전, 드라이, 면도기 대신 이들
을 종합한 휴대용 가전, 현금이나 각종 증명 또는 카드 대
신 이들을 하나로 통합한 전자카드, 그런 시대를 넷 세대들

은 갈구할 것이다.

또 장기간 두고두고 사용할 수 있는 그런 소비제품이 아닌 한 두번 쓰고 버릴 수 있는 보관이 필요 없는 간단하면서도 실속이 있는 제품을 원한다. 늘 새로운 것만을 추구하는 넷 세대들에 적합한 상품을 생산 공급하는 기업으로 변화해야 한다.

앞으로는 앞에서 말한 넷 세대들의 가치 추구 등 특성을 비즈니스에 적절하게 접목하는 기업만이 성공할 것이다.

어느 시대 어떤 수요자에게도 그랬지만, 넷 세대들에게는 투명한 기업경영에 값 싸고 질 좋은 상품을 제공하되 서비스를 소홀히 해서는 안 된다. 불량제품은 시장 수요를 급감시키며, 기업이미지에 치명적이다. 넷 세대들은 그런 제품을 발견하는 즉시 인터넷을 이용 일파만파로 전파시켜버린다.

그들은 인내할 줄 모르는 세대로 공포의 대상이 될 수도 있지만 사회적 병폐를 지적해 주는 긍정적인 측면도 있다.

아무튼 시대는 바뀌고 있다. 경제의 중심축에 디지털세대가 있고 그들에 맞는, 그들이 추구하고 그들이 바라는 상품을 제조 공급하여야 살아 남을 뿐만 아니라 그들을 겨냥하여 기업경영계획을 세워 실천하는 기업만이 성공할 것이다.

머지 않은 미래는 디지털세대가 경제를 좌지우지하게 될

것이다. 지금까지 많은 기업들은 기성세대들에 맞는 상품을 제조해 왔다. 그런 기업들에게는 위기다. 디지털 세대가 바라는 방향으로 생산 공급체계가 바뀌지 않는 한 위기를 겪을 수 밖에 없다. 그래서 바꾸어야 한다.

디지털세대가 몰고 올 위기를 성공으로 바꾸기 위한 전략으로는

- 기업의 운명을 건 프로젝트에 대해 무조건 성공가능을 높여라.
- 객관적인 정보로 최신 경향을 파악하라.
- 과감한 선택과 더블 베팅을 두려워 하지 말라.
- 게임의 판을 새로 짜라.
- 값싼 제품 이미지를 없애기 위해 할인점에 상품진열을 하지 말라.
- 연구개발비를 늘려 고급화하라.
- 적극적 전략으로 직면한 리스크를 획기적인 성장 기회로 바꾸어라.

이것들은 실천이 쉽지 않은 전략이다. 그러나 실천 하려는 의지가 필요하다. 전부는 아니더라도 실천 가능한 것부터라도 차근차근 실천해 보아라. 성공의 길이 보일 것이다. 위기극복의 길이 열릴 것이다. 여기에는 반드시 늑대의 근성, 하이에나의 전술, 악어의 사냥방법이 필요하다.

더 큰 성공을 위해서 때론 포기도 필요

보다 나은 미래의 성장을 위해서는 잘 될 때 포기하는 것
도 하나의 수단이다.

인텔판매·마케팅 그룹 존 데이비스 부사장은 "불황 침
체기는 기회"라고 했다. 실제로 불황 때 새로 기업을 설립
크게 성공한 기업들이 있다.

1892년 장기공황 때 GE가, 1939년 대 공황 때 HP가, 1998
년 주식시장이 붕괴됐을 때 구글이 새로 기업을 설립, 길지
않은 기간에 세계적인 기업으로 성장했다. 그들은 위기 속
에서 세계적인 기업으로 성장했다. 지속적인 성장을 위해
서 과거에 잘 해 왔던 것을 과감히 포기할 수 있는 결단력
도 갖췄다.

인텔은 1979년 S램과 D램 메모리분야 생산을 시작, 1985
년까지 총 매출액의 80%를 차지 할 정도로 잘 나아갔다. 그

당시 마이크로프로세서는 겨우 20% 수준이었다. 그때 존데이비스 부사장은 잘 나아가는 메모리 분야를 축소하고 마이크로프로세서에 집중하기로 결정 시행했다. 그 결정이 오늘날 인텔이 마이크로프로세서 강자로 시장을 장악하게 된 계기가 됐다.

존 데이비스 부사장은 과거에 집착하는 목소리에 귀를 기울이면 변화할 수도, 성공할 수도 없다고 했다. 1998년 아시아 각국이 경제위기를 겪을 때 대만은 IT디자인, 제조업 혁신 등에 과감히 투자 경제위기 극복은 물론 최강자로 떠 올랐다. 또 미화 5,700억 달러라는 거액을 스마트레일, 무선통신분야에 과감하게 투자한 중국도 일자리 창출, 구매력 향상, 교육, 보건 분야 향상을 가져왔다.

존 데이비스 부사장은 "어려울 때 기업이 회생하려면 당해 기업이 잘 할 수 있는 것이 어디에 있는지 그것을 알아내는 것이 중요하다"고 했다. 여기서 그는 또 "미래 최고의 기업이 될 만한 분야가 결정되면 과거 잘 나갔던 분야라도 과감하게 포기해야 단다" 라고 강조했다.

베인과 컴퍼니 샘로넷 대표는 경기불황 등의 여파로 기업 구조조정과 관련 이렇게 말했다. 기업이 구조조정을 당하지 않으려면 현금에 역점을 둬야 한다며

*케시트래킹을 통해 기업 현금 흐름을 정확하게 파악해야 한다.

*비즈니스 결정을 다시 검토 비 전략적, 또는 전략적 요소를 찾아낸 다음 전략적 우선 순위에 현금을 매칭해야 한다.
　*심각한 유동성 위기에 직면한 기업들은 지불연장, 보험공제를 늘리고 현금 유출을 중단한 뒤 모든 우선 순위를 현금에 맞춰야 한다.

　그는 기업을 인수 합병할 때는 "딜에서 얻는 이익보다 손해를 먼저 따진 뒤 협상을 시작하되 유동성을 무엇보다 중시 관찰하라"고 했다. 또 "캐시플로에서 문제가 발견되면 제 1차로 할 일이 회사의 전략사업과 비 전략사업을 구분하여 비전략 사업부분을 과감히 정리 구조조정 해야 한다"라고 했다.
　기업이 지속적인 성공을 위해서는 시장분석을 철저히 하여 과거 잘 나갔던 분야도 미래가 밝지 않으면 과감하게 포기하고 미래전망 있는 것을 찾아 투자를 하는 등 구조조정을 하되, 구조조정을 할 때에는 당해 분야의 장점도 중요하지만 단점을 철저히 따진 후 무엇보다도 현금 흐름을 잘 파악 결정해야 한다.
　인류 역사상 어느 때나 전쟁의 근원은 재화가 그 중심에 있었다. 그리고 그 전쟁은 한 순간도 끝이지 않았다. 수단과 정도의 차이일뿐 지속됐고, 앞으로도 계속될 수밖에 없다. 최악의 경우 총칼로 인명을 살상하고 재물을 쟁취했지만 또 다른 한편으로는 가장 평화스러운 싸움을 하기도 했다.

원탁을 중심에 두고 둘러앉아 자유무역이니, 보호무역이니 자국의 이익과 인류의 이익을 위해 의견을 나눈 뒤 갖가지 검토를 거쳐 협약을 맺고, 보이지 않게 선의의 전쟁을 한다. 나만의 이익이 아닌 나와 네가 함께 잘 살자고, 더 나아가 인류 복지증진을 위해, 자유롭게 무역을 하자며 협약을 맺었다.

그러나 자유무역의 실현은 쉽지 않았다. 위정자들은 자국민의 이익을 위해 노력을 게을리 할 수가 없다. 또 선진화 된 일국의 경제발전은 여타국의 자국산 상품수요를 급감시켜 자본유출이 심화됐다. 보이지 않는 무역 전쟁이 일어나기 시작했다. 이를 막기 위해 자유무역을 보호무역으로 서서히 전환시키기 시작했다.

이제는 상품교역에서 보호주의 뿐만 아니라 비 상품교역 관련 분야까지 보호주의화로 가고 있다.

앞으로는 "지금까지 경험해 보지 못했던 최악상태의 보호주의가 득세할 수 있다"며, "단 우리가 익숙한 상품무역을 둘러싼 분쟁보다는 지적재산권 등 비 상품분야 보호주의가 맹위를 떨칠 것"으로 미국 경제정책연구소장 딘 베이커가 말했다.

지금 세계 각국은 전 인류의 복지증진보다는 자국민의

이익에만 급급하고 있다. 그러나 각국의 위정자들은 전 인류의 삶이 보다 윤택해야 한다는 것을 인식하고 새로운 글로벌화로 세계 경제를 확대시켜야 한다. 그러기 위해서는 전 인류를 포용하는 세계화의 방향으로 가야한다. 성공하기 위해 때로는 포기하는 것도 하나의 방법이라는 것을 알아야한다.

우리나라 현대자동차가 바로 그런 기업이다. 현대자동차 정주영 전 회장은 미래 큰 성공을 위해 당장 쉽게 얻을 수 있는 이익을 포기했다. 뿐만 아니라 위기 때마다 정면 돌파를 했다. 그 결과 글로벌기업으로 성공했다.

2007년 세계적인 금융위기로 크고 작은 기업할 것 없이 도산위기에도 정몽구 현 회장이 이끄는 현대자동차는 코뿔소와 같이 저돌적인 공격경영으로 미국과 중국 등지에서 돌풍을 일으키며 크게 성장했다.

지난 1984년 당시 정주영 회장은 미국 GM자동차에서 이현순(현 현대자동차 부회장)을 영입 직원 5명으로 연구개발팀을 만들어 일을 시작했다. 그 당시만해도 현대자동차는 일본 미쓰비시에서 엔진전량을 공급받았다. 엔진구입대금으로 현대차 주식을 받은 미쓰비시가 현대자동차의 대 주주가 됐다.

미쓰비시 구보 도미오 회장은 "1989년 최신 기술을 줄 테니 이현순 연구팀장을 해고하라"고 압력을 가했다. "로열

티도 절반으로 깎아주겠다"고 했다. (1988년 당시 로열티 450억 원의 절반 225억 원) 당시 정주영 회장은 그 제안을 받아들이지 않고 거절을 했다. 그 좋은 조건을, 획기적인 조건을 거절 했다.

정 주영 전 회장은 통찰력이 뛰어났다. 미래를 보는 눈이 있었다. 먼 훗날 큰 성공을 위해 코 앞에 보이는 이익을 포 기하는 기재奇才를 보였다. 결국 미쓰비시는 최대 주주로써 이사회 개최를 요구 이현순 팀장이 독일출장 중 보직을 해 임, 사무실 집기 등을 철거해 버렸다. 당시 이현순 팀장이 독일 출장을 마치고 돌아와 보니 책상이 없어져 버렸다.

그는 6개월 동안 사무실 복도에 책상을 놓고 일을 했다. 결국 정주영 전 회장이 미쓰비시 측을 설득 복귀를 시켰다. 그리고 1991년 독자적으로 엔진개발을 시작, 2002년 세타 엔진개발에 성공했다. 세계가 깜작 놀랐다. 미쓰비시가 당 황한 나머지 '디자인변경불가' 라는 현대자동차가 내세우 는 조건을 붙여 세타엔진기술을 로열티를 주고 사갔다.

현대자동차 정주영 전 회장은 미쓰비시의 유혹을 뿌리친 결과 글로벌기업으로 크게 성장했다. 정주영 전 회장은 많 은 자본투자와 큰 고통을 겪지 않고도 당장 쉽게 얻을 수 있는 거액의 이익을 포기했다. 그 결과 세계적인 기업으로 성장했다. 큰 성공을 위해서는 정주영 전 회장처럼 포기하 는 것도 하나의 방법이다.

온실가스규제가 세계 경제지형도 확 바꾼다

화석연료 중 석유자원은 인류에게 보물처럼 여겨지는 귀중한 재화다. 그러나 석유자원은 점점 고갈돼 가고, 석유를 사용할 때에 발생하는 이산화탄소등의 배출로 오존층 파괴와 지구온난화로 인간을 포함한 모든 생물들의 생존을 위협하기에 이르렀다.

인류는 지금 화학연료에서 배출하는 온실가스와 전쟁을 치르고 있다. 지구온난화라는 기후변화문제해결을 위해 국가 간 공조가 이루어져야 한다는 의견이 세계적인 화두다. 시급성에 대한 인식 또한 같다. 온실가스감축이 필요하다는 의견에는 이론이 없다.

하지만 국가별 책임과 지원을 놓고는 의견이 맞서 공조가 불투명하다. 온실 가스 배출 감축은 곧 자국의 부담과 이익에 밀접한 관계가 성립된다. 그래서 목소리가 달라진다. 소극적인 태도로 변한다. 이런 가운데 기후는 급속도로 변하고 있다.

기후변화는 인류에게 가장 큰 적이다. 변한 기후는 각종 재앙을 일으킨다. 기후변화는 아프리카 국가들에 가장 큰 타격을 줄 것으로 예상된다. 그러나 아프리카 국가들은 "온실가스 문제는 우리 책임이 아닐 뿐만 아니라 대체능력도 없으며, 개발이 된 후에나 온실가스 배출감소가 가능할 것이다"라는 말만 반복하고 있다.

그들은 "선진국이 먼저 해야 한다"라는 주장이다. 또 선진국은 선진국들 간에 서로가 미루며 획일적 감축을 주장하고 있다.

아프리카 지역에 살고 있는 사람들 대부분은 지구온난화보다도 더 심각한 것이 기아다. 배고픔은 오존층 파괴나 빙하기 보다도 더 심각하다. 이런 상황에서 생존을 위해 산림남벌, 토지황폐화와 사막화 등이 자행되고 있어 다시 환경재앙으로 악순환되고 있다.

그들은 가난과 환경재앙의 중심에 있다. 그래서 최대 피해지역이 될 것이라고 했다. 그런 가운데도 남아프리카 공화국은 석탄을 사용하는 화력발전소에서 배출하는 이산화탄소로 세계에서 열세 번째로 많이 배출하는 나라에 해당된다.하지만 그 나라 마저도 '온실가스 배출규제는 아직 생각해 볼 단계가 아니다' 라고 하고 있다.

지금 지구는 이산화탄소로 급격하게 변해가는 온난화가 북극과 남극지역의 빙하를 녹아내리게 하고, 고산지대의 만년설이 살아지고 있으며, 한쪽에서는 사막화로 생물이 멸종되고, 황사가 지구를 뒤덮는 현상이 심화되고 있어 실로 심각한 상태다.

국제 에너지기구가 2009년 11월 발간 한 '세계 에너지전망 2009' 보고서에 의하면 2030년까지 전 세계 이산화탄소 배출량이 2005년 대비 48.3% 증가할 것이라고 했다.

이산화탄소는 온실가스를 구성하는 소불화탄소, 과불화탄소, 육불화탄소 등의 물질 중 하나로 온실가스의 85%를 차지하고 있다. 이산화탄소를 줄이는 것이 곧 온실가스를 줄이는 것이다.

국제 에너지기구에 의하면 전 세계 이산화탄소 배출량은 2007년 28.8기가 톤에서 2020년 34.5기가 톤, 2030년에는 40.2기가 톤으로 계속증가하게 된다고 전망했다.

이 같이 많은 이산화탄소배출의 주범은 중국과 미국이다. 중국은 2007년 6,061메가 톤으로 세계에서 가장 많이 배출한다. 다음이 미국으로 5,769메가 톤 그리고 인도가 1,324메가 톤으로 3번째다. 그러나 중국은 산업화 초기로 미국이나 유럽연합과 같은 선진국과는 차별을 둬야 한다며 감축을 미루고 있다.

중국과 인도는 온실가스배출을 줄이는 것은 선진국 의무

로써 선진국들이 먼저 줄여야 한다며 미온적인 태도다. 그나마 다행스러운 것은 일부 국가나마 기후변화에 대응, 국제적 공조 노력은 물론 자구노력을 강화하고 있다.

그 대표적인 국가로는 독일, 프랑스, 스웨덴, 미국, 일본, 영국, 그리고 우리나라를 들 수 있다.

독일은 CO_2 감축을 위해 에너지절약을 생활화하고 있다. 에너지절약을 위해 자전거타기운동을 하고 있다. 프랑크푸르트, 베를린, 뮌헨 등 주요 도시 기차역 주변에 자전거 대여소를 설치 운영하고 있으며 성업 중이다. 기차를 이용한 직장인 등 승객들에게 크게 인기를 끌고 있다. 고객들의 편리를 위해 눠서 탈 수 있는 자전거, 전기자전거, 현대적이고 스포티한 디자인으로 제작된 다양한 자전거까지 등장하고 있다. 자전거제작판매회사 및 자전거대여업이 성업 중이다.

독일은 정부 뿐만 아니라 주민 대다수가 태양광발전에 심혈을 기우리고 있다. 프랑크푸르트 남쪽에 위치한 프라이부르크라는 중소도시가 있다.

이 도시는 일조량이 많다는 특징도 있지만 시민들의 높은 환경의식 때문에 이곳은 태양에너지자원을 세계 어느 곳보다 잘 이용하고 있다. 그래서 도시 이름을 솔라시티(soiar city)라고도 부른다.

1975년에 에너지수요가 늘면서 정부가 이곳에 원자력발전소를 건설하고자 하자 시민들이 반대를 했다. 대신 주민들은 에너지 절약, 열병합 발전, 재생에너지 활용 등을 주요 내용으로 하는 에너지조례를 1986년에 만들어 '녹색 에너지 메카'로 꿈을 실현하고 있다.

이 도시가 추진하는 에너지절약 모델로는

*프라이부르크라 중앙역 외벽을 집열판으로 치장하고 벽면 대부분에 유리창을 설치 채광을 해결하고 있다.

*프라이부르크라 시내 동쪽에 있는 바데노바축구경기장 관람석 지붕, 시청과 학교 등 공공시설, 교회 등 주요건물의 외벽에 태양광발전시설을 설치했다.

*기존 주택을 에너지절감주택으로 개보수할 때에는 시청에서 공사비에 대해 1% 내외의 이자율로 융자를 해 준다. 사람들은 저 에너지 소비집으로 개조하고 있다.

*계절별로 컴퓨터 각도를 조절하면 태양을 따라 360도 회전하는 헬리오트로프(Heliotrop) 주택도 있다.

이 주택은 여름철에는 태양을 피하도록 겨울철에는 태양을 최대한 따라가게 할 수 있다. 이 주택은 지붕에 설치된 대형 태양광 발전설비를 통해 자체전력 소비량의 5-6배 가량의 전기를 생산한다.

또 이 주택에서는 음식물쓰레기도 분리 퇴비화 한다. 이 주택에서 생산된 전력 중 쓰고 남은 잉여에너지는 비싸게 팔아 돈도 번다.

　*다가구열립주택에서는 3중 유리창 30cm 두께의 단열재, 폐열회수 환기시스템 등을 통해 에너지소비를 줄였다. 뿐만 아니라 지붕에 태양열 집열판을 설치 생산한 전기를 지역 전기회사에 판다. 전기회사는 가정에서 생산한 전기는 비싼 값에 산다. 반면 필요한 전기는 싼값에 전기회사로부터 공급을 받아쓴다.

　*주거단지에는 자기 집 앞이라도 물건 내릴 때를 빼고는 자동차주차를 금지한다. 단지입구 공공주차장에 주차하도록 하고 단지 내에서는 자동차 통행을 금지했다. 주차비도 비싸게 받아 가급적 자동차 소유를 억제했다.

　시민들 대부분이 자동차 대신 전차나 자전거를 이용 이동하고 있다. 프라이부르크는 태양에너지를 최대한 활용하는 도시가 됐다. 독일에서 뿐만 아니라 지구촌 곳곳에서 친환경생태 도시의 대 명사가 됐다.

　독일이 2009년 10월 1일부터 개정 시행하는 에너지절감법에 따르면 에너지소비기준이 개정 전보다 30% 가량 강화됐다. 일반 주거용 건물에서 에너지총량 계산 시 조명과 실내 난방을 포함시켰다. 그리고 에너지소비량 인증서를 만들도록 의무화 했다.

　이제 집을 팔고 살 때 또는 세를 줄 때도 에너지소비 인증서를 주고 받도록 했다. 공공건물은 이 에너지 인증서를 건물 외부 벽 눈에 잘 띄는 곳에 걸어놓도록 의무화 했다. 앞으로 독일은 친환경 건축물이 아니면 사고 팔 때 뿐만 아니라 세를 놓을 때 또한 큰 요인으로 작용할 것이다.

향후 세계는 에너지절감형 주택 뿐만 아니라 모든 제품을 에너지 절전 또는 친환경 여부와 관련 시장이 형성될 것이다. 에너지절감을 위한 제품, 친환경제품으로 경제의 축이, 세계 경제지형도가 바뀌게 될 것이다.

독일에는 에너지절감 붐에 맞게 발코니 단열재 전문회사 '쇠크' 기업이 있다. 쇠크는 에너지소비량을 기존보다 30% 줄이도록 하는 2009 에너지 절감법 시행으로 단열재, 태양열 집열판 등 지속 가능한 주택건설에 필요한 건설자재시장에서 크게 성장세를 타고 있다. 쇠크는 발코니 단열재 아이소코프로 호황을 누리고 있다.

아이소코프는 두툼한 단열재를 철근과 합체한 부품으로 건물 외벽과 발코니 사이에 부착하고 일반 철근을 이 부품과 연결해 콘크리트를 타설할 수 있는 제품이다. 이 제품은 온실가스 규제로 에너지 소비감축을 강화할 시 유럽 전역 뿐만 아니라 일본 중동 등 세계 곳곳에서 수요가 폭발적으로 발생할 것에 대비하고 있다.

또 독일의 립스타트라는 작은 도시에 1899년 설립한 자동차 조명회사 헬라(Heiia)가 있다. 헬라는 자동차의 상향 및 하향 전조등 기능을 할 수 있는 고기능 발광다이오드(LED)를 주 상품으로 내 놓았다.

유럽이 2011년 이후 생산 판매되는 자동차 엔진을 켜면 주간에도 자동으로 점등되는 주간 점등 장치를 갖추는 것을 의무화할 예정인 가운데 LED 조명이 효율성을 높이고 탄소배출을 줄일 수 있어 기후변화 등 규제가 강화되는 경우 더욱 각광을 받을 수밖에 없다. LED라는 새로운 제품은 환경, 안전, 편안함, 스타일 등에서 타 제품에 비해 우수하기 때문에 수요가 폭발할 것으로 본다.

온실가스규제가 가져다 주는 부富의 이동이 아닐 수 없다. 뿐만 아니라 독일을 비롯한 유럽 국가들은 이미 오래전부터 기후변화, 친환경산업 등을 준비해 오며, 전 세계적인 그린 열풍에 앞장서고 있다.

독일은 태양광 분야에서 이미 세계 제 1인 자가 됐다. 온실가스규제와 같은 환경규제를 통해 산업경쟁력 강화에 총력을 기우리고 있다.

프랑스도 지구온난화 방지를 위해 중소기업 그린화로 환경규제를 정면 돌파하고 있다.

1992년 설립된 에너지관리기관(ADEME)이 지방자치단체, 금융회사, 연구기관, 산업단지, 특허기관, 소비자보호조합 등과 협약계약을 맺어 중소기업 그린 화에 필요한 해결책을 모색해 주고 있다.

프랑스 파리 근교에 릴(Lille)이라는 도시가 있다. 이 도시에 물을 사용하지 않고 세차할 수 있는 천연성분의 세차용 세제를 개발 생산하는 '시네오'라는 중소기업이 있다.

시네오가 설립된 지는 5년 전인 2004년이다. 당시 매출액이 겨우 연 18,000유로였던 것이 2008년에는 250만 유로로 고속성장했다.

고속성장의 비결은 '편리함, 물 없이도 손으로 쉽게 세차할 수 있는 제품이라는 것'이라고 했다.

최근 소비자들이 친환경제품을 선호하는 추세다. 친환경제품으로 사용하기 편리하며, 값이 저렴하면 고객들에게 인기일 수 밖에 없다.

유엔이 물 부족에 대해 강한 경고를 하고 또 기후변화에 따른 지구촌 곳곳에서 일어나고 있는 기상이변, 신종플루 같은 질병 등 예상치 못한 분야에서 발생하는 심각한 문제들, 그 모든 것들은 지금 지구상에 존재하고 있는 인류에게 주어진 풀어야 할 과제가 아닐 수 없다.

향후 기업의 흥망성쇠는 친환경 여부에 있다. 이미 부의 이동이 시작됐다. 친환경기업만이 진정한 부를 누리고 성공할 것이다.

온실가스규제는 불가피하고 그 규제에 따라 세계 경제지형도가 변하지 않을 수가 없다. 그 변화에 편승한 자만이 성공하게 돼 있다.

그리노믹스 선진국으로 스웨덴도 빼 놓을 수 없다. 스웨덴은 쓰레기로 만든 바이오가스 강국으로 부상했다. 스웨덴의 린세핑이라는 도시에는 바이오가스로 전력, 난방은 기본이며, 시내 버스 모두가 바이오가스로 움직인다. 바이오가스 값도 휘발유 가격에 비해 저렴하다.

스웨덴은 석탄과 석유라는 지하자원이 없다. 때문에 대체 에너지개발이 불가피했던 결과 그린에너지 강국으로 부상하게 됐다.

1970년 오일쇼크는 스웨덴에게는 시련이었지만 결과적으로 기회였다. 1970년 당시 석유의존도가 80%에 이르렀다. 그러나 30여 년이 지난 뒤부터는 에너지 의존도가 20%로 낮아졌다. 2020년에는 화석연료 사용을 0으로 할 계획이다. 스웨덴은 1991년에 제정 시행 중인 탄소세 제도로 이산화탄소 배출량이 현격하게 감소 세계에서 모범적인 국가가 됐다.

스웨덴은 신생에너지 부분이 다양하다. 그리고 바이오에탄올, 바이오매스, 바이오가스, 조력과 파력에 대한 연구를 계속하고 있다. 환경보호에 관한 수준은 세계 최고다. 또 스웨덴의 스톡홀름 동남쪽에 있는 함마르뷔는 난방과 냉방, 전력, 쓰레기 처리시설이 효율적으로 잘 구축돼 있다. 이 도시는 지역 난방으로 난방과 전력을 동시에 해결하고 공동주택 등에서 배출되는 쓰레기는 바이오가스 공장으로 이동 청정 에너지원으로 활용한다.

쓰레기나 재활용 알루미늄 캔 등은 가정에서 아파트지하 집하장으로 파이프를 통해 내려 보내 단지 내 바이오가스 공장으로 보내진다. 쓰레기 분리배출 및 분리수거도 철저 하게 한다.

환경보호에 대한 의식이 생활화 되어 있다. 또 친환경을 추구하고 있다는 자부심도 대단하다. 그래서 스웨덴 사람 들은 함마르뷔에 사는 것을 자랑으로 삼는다. 또 그곳에 살 기를 희망한다. 때문에 집값이 비싸다. 부동산도 친환경여 하에 따라서 값이 달라진다.

미국도 지구온난화와 관련 온실가스규제에서 예외일 수 는 없다. 공공기관에서는 대형태양광 설비가 한창이다. 해 군 공군기지와 정부의 수도국과 교통국 그리고 연방우체국 등은 태양광시스템으로 전력을 자가 발전사용하고 있다. 또 썬파워와 같은 태양광 기업에 세금 면제 혜택을 줘 태양 광발전 등 신생에너지 보급을 늘리고 있다. 특히 일반 주택 이나 상업시설이 태양광 시설을 설치하면 일정금액의 소득 을 환급해 주기도 한다.

• 캘리포니아주에 있는 소도시
*팰러앨토는 환경실천 프로그램으로 '팰러앨토 그린' 을 오래 전부터 시행하고 있다. 주민의 약 20%가 이 프로그램

에 적극 참여하고 있다.

_팰러앨토 그린은 전력을 시간 당 1kw 사용할 때 마다 이용액에다 0.01달러 씩 시청에 기부를 한다. 하루 최대 기부금은 10달러 이내로 한다.

_주민들이 내는 기부금으로 시는 일반 전력 뿐만 아니라 풍력이나 태양광 등 신생에너지 전력 구입에 쓴다.

_'나는 재생에너지 활용을 장려하는 또 다른 팰러앨토 시민'이란 팻말을 집 앞에 꽂아두고 있다.

_시청은 전기나 물을 사용하며 팰러앨토 그린정책에 참여하는 주민을 위해 별도로 소득환급도 한다. 시청은 이를 철저히 감시하며 환경정책 프로그램을 공동으로 추진한다.

_일반 주거용 건물 350개에 태양광 시설을 설치하고 있다. 설치 비용 가운데 일부는 시가 보조해 준다.

*또 샌프란시코에서도 지구온난화와 관련 에너지절약과 온실가스배출을 감소하기 위해 가스, 휘발유버스를 완전 없애는 등 그린도시화에 주민과 주 정부당국이 혼연渾然의 힘을 기울이고 있다.

_새너제이다운타운에서는 기술박물관 테크뮤지엄 건물지붕에 185kw급 태양광설비를 하여 그 건물에서 사용하는 전기를 100% 해결한다.

_과학아카데미박물관은 그린빌딩위원회가 마련한 친환경건축물 기준인 리드 최고 등급을 획득했다. 이 건물은 유리형식으로 돼

투광이 자유로운 건물 외벽과 지붕에는 동그란 셀 모양 태양전지가 빼곡이 들어차 있어 전력생산은 물론 독특한 외형디자인도 창출하고 있다.

　_1912년에 설치된 레일 위를 달리는 뮤니버스와 1935년에 전기 방식의 트롤리버스를 도입 운행하고 있다. 친환경도시를 위해 먼저 버스부터 개선했다.

　_1999년부터는 교통국이 뮤니버스를 전량 바이오디젤이나 전기 하이브리드 차량으로 교체를 시작 2006년 말 완전 교체했다. 바이오디젤은 동물에서 추출한 원료로 친환경적이다.

　_샌프란시스코는 대중 교통수단을 전기차로 완전교체 2020년까지 탄소배출제로로 만든다는 프로젝트를 진행 중이다.

　미국의 온실가스규제는 팰러앨토와 샌프란시스코 지방 도시 뿐만 아니라 전 지역으로 확산되고 있다.

　지구의 그린화는 어느 특정 지역, 특정 국가를 위한 것이 아닌 지구에 존재하는 인류의 생존과 밀접한 관계가 있다. CO_2에 의해 병 들어가는 지구 그리고 지구에 존재하는 모든 생물체들의 생존을 위해서 인류가 당장 해야 할 것이 무엇인지가 명백해졌다. 그와 함께 기업이 무엇을 어떻게 해야 성공할 수 있는가도 명확하게 나타났다.

　늑대를 비롯한 특별한 근성을 가진 동물들의 삶과 관련한 지혜를 새겨 볼 필요가 있다.

에너지절감, 지구온난화와 관련 이산화탄소 배출 최소화가 지금의 인류에게 주어진 지상과제다. 이를 위해서 가히 혁명적이어야 한다. 이 부분에 대해서는 영국도 빼 놓을 수가 없다.

영국은 18세기 산업혁명을 일으킨 당사국이다. 산업혁명은 인류의 삶을 보다 윤택하게 하는 등 공헌한 것도 많지만 지금의 지구온난화에 대한 주범으로 1차적인 책임을 면할 수 없다. 그런 의미에서 어느 나라보다도 앞장서 온실가스 규제를 솔선해야 한다. 산업혁명 초기 영국은 이미 환경오염에 대한 피해를 맛보았다. 런던의 스모그, 대기오염은 인간들의 목을 넥타이로 졸라매게 했다. 대기오염이 넥타이 문화를 창조해 냈다.

근래에 온실가스의 심각성을 인식한 영국은 2007년 국가 장기계획을 세우면서 '환경보호와 기후변화 대응'을 정책과제로 선정했다.

환경보호와 기후변화 대응의 주요 내용으로는 2016년까지 단계적으로 모든 주택에 탄소배출을 제로로 하는 것을 의무화했다.

화석연료를 퇴출하고 태양열, 바이오가스 사용을 생활화하도록 했다. 또 태양집열판으로 충전한 전기차를 공동사용 하도록 했다.

영국 런던 근교에는 친환경 빌리지 베드제드가 있다. 베드제드란 베딩턴 제로 에너지 개발의 약자로 석유 등 화석 에너지를 전혀 사용하지 않는 친환경 주거단지를 컨셉트로 조성한 마을이다. 그곳 베딩턴 지역의 집 지붕은 빨강, 노랑 등 색색의 열 교환기가 장착된 환풍기가 달려있다. 또 태양열 집열판이 지붕에 빈틈없이 붙어있고 벽면은 온통 유리창이다. 이 시설을 한 주택들은 전기 45% 온수 81%가 절감된다고 했다.

앞으로는 주택건설도 친환경시공기술이 아니면 성공할 수 없다. 단열에서 쓰레기 보관처리, 생활오수 관리며 주차에 이르기까지 친환경적이지 않으면 주택매매는 물론 세놓는 것도 절대 불리할 것이다. 그런 현상이 독일이나 스웨덴에서는 이미 나타나기 시작했다. 이것은 세계적인 추세다.

베딩턴은 2002년 이후 화석에너지를 사용하지 않고 전기 소비량의 20%는 지붕 태양열 집전판에서 나머지는 쓰레기 소각 등 열 병합발전소에서 충당하기 때문에 이산화탄소배출이 제로다. 또 집을 남향으로 지었다.

벽면은 전부를 3중 유리창으로 했다. 벽의 두께는 50cm로 하고 그 속에 300mm 단열용 목제를 사용 실내가 환하고 실내 온도가 높다. 지하는 빗물 저장탱크를 설치, 화장실 및 정원 살수용으로 활용한다.

베딩턴은 카 클럽을 만들어 자동차를 공동으로 사용함으로써 에너지절약 및 이산화탄소배출로 인한 대기오염을 줄이고 있다.

또 영국 정부는 지속가능 주택을 위한 건물소재, 물 효율, 에너지 소비, 쓰레기 배출 등 9개 항목을 평가한 빌딩코스트도 만들었다. 빌딩 등급을 *로 표시하되 2016년에는 모든 주택이 가장 높은 단계인 레벨 6등 급을 외예적으로 만족시키도록 했다. 이렇게 되면 이산화탄소 배출은 제로가 된다.

2008년 10월 1일부터는 공공건물은 에너지인증표시를 의무화 했다. 에너지효율등급을 건물 입구에 부착하고 이산화탄소 배출량도 연도별로 표시한다. 이 증서를 부착하지 않는 경우 500파운드의 벌금도 물린다. 정부는 의무이행을 위해 이산화탄소 배출이 제로인 50만 파운드 이하 주택은 등록세를 면제하고 50만 파운드 이상 주택은 15,000 파운드의 등록세를 공제 해 준다.

빌딩코드가 높은 집을 지을 때는 건설업체에 이자율이 낮은 자금 융자와 각종 세금도 면제 해 준다. 이런 인센티브 때문에 에너지절감 건축시공기술개발을 적극적으로 하고 건물 수요자는 에너지절약형 친환경 건물을 선호한다.

영국 정부는 2016년까지 새로 지어지는 모든 주택을 이산화탄소 무배출로 하겠다고 한다.

건설업체 킹스팬은 '라이트하우스' 를 내 놓았다. 라이트하우스는 레벨 6등급을 받았다. 이 건물의 특징은 커브모

양 지붕에 부착된 진공관 타입의 태양열시스템으로 난방과 온수를 해결하고 빗물 저장탱크에 모인 빗물을 세탁용으로 사용, 또 목욕물을 화장실 벽면에 저장 화장실 용수로 재사용하도록 설계됐다. 또 유리창을 통한 열 손실을 줄이기 위해 유리창 벽면을 기존 건축물 벽면보다 절반 정도로 줄였다.

영국은 온실가스 배출을 억제하기 위해 '이산화탄소배출 제로주택'을 혁명적으로 추진하고 있다.

친환경건축 기술개발은 건설회사의 존폐가 달려 있다. 생활도구 또한 마찬가지다. 에너지 소비 과다제품이나 건축 자재는 시장에서 퇴출대상 1호가 될 날이 멀지 않았다.

세계는 지금 에너지절약에 팔을 걷어 붙였다.

이유는 두 가지다.

*온실가스 과다로 지구 온난화다.

*화석연료인 석유자원의 고갈이다.

이 두 가지는 인류의 생존에 지대한 영향을 준다. 두 가지를 해결하지 못하면 인류에게는 멸망밖에 없다. 인류가 살아남기 위해서는 고갈되는 화석연료를 대체할 에너지개발이고 이산화탄소 배출을 제로로 하여 온실가스를 최소화하여 지구온난화를 막아야 한다.

이 문제는 국가와 민족의 문제가 아니다. 전 인류의 문제이다. 선진국 후진국을 따질 문제가 아니다. 정치인이 할 일이니, 경제인이 할 일이니 서로 미룰 때가 아니다.

환경문제는 국경이 없듯이 해결책임 또한 네 나라, 내 나라가 있을 수 없다. 오직 늑대의 기질인 협동과 희생정신을 본받아 전 인류가 단합하여 해결하는 수밖에 없다.

일본은 숲속에 묻힌 40여 가지 친환경기술로 이산화탄소 제로주택 '제로에미션 하우스'를 자랑한다. 건물은 원통 성성한 나무숲으로 뒤덮였다.

40여 가지 친환경기술 중 대표적인 것은 단열이 잘 되면서도 지진에 강한 철골구조, 한 여름 태양 볕에 집이 뜨거워지지 않도록 모자역할을 하는 지붕이끼, 지붕 한면을 덮는 태양광 발전 판, 수소와 산소로 전기를 만들고 물을 데우는 연료시스템, 찬 바람은 들어오지 않고 집안 먼지만 쏙 빨아드리는 환기시스템, 안 쓰는 낡은 문짝을 식탁으로 활용, 나무조각과 수지를 이용 해 만든 현관 테크, 정원은 새와 나비를 위해서 다섯 그루의 나무를 심어 작은 생태계를 만들었다. 연료전지가 탑제되거나 태양광 발전판 등 기술이 사용돼 탄소배출을 최소화한 고가 가전제품설치 등이다.

일본은 가정에서 친환경제품을 구입할 때 정부나 회사가 보조금을 지불해 준다.

나무는 자두나무, 단풍나무, 사철나무, 산수유, 등나무와 덩굴나무 등 관목을 빽빽이 심는다. 살아있는 자연으로 가꾼다. 이 나무들은 주변 공기를 시원하게 하여 도심열기를 줄여준다.

잎에서 수분이 증발할 때 주변의 열을 빼앗아 주변 기온이 낮아지고 차가운 공기가 밤에는 하강기류, 낮에는 상승기류를 만들어 공기를 순환시킨다. 냉각기에 환풍기 기능을 겸한다. 건물 사이 정원에 산책로와 물이 흐르는 공간, 노천무대 등을 만들었다. 건물꼭대기 층 전망대를 시민에게 개방했다. 또 건물 한가운데 유리로 된 아트리움을 설치해 햇빛이 지하층까지 들어오고 전기료도 덜 들도록 했다. 아트리움 근처에는 가을에 잎이 지는 나무를 심어 겨울철이면 햇볕이 더 많이 들게 했다.

일본에는 태양광을 써서 전기료를 절약하고 물을 재활용하는 시설들이 많다.

일본 샤프창업자 하야카와 도꾸지는 머지 않아 "반드시 태양시대가 열릴 것"이라 생각하고 1959년 태양에너지사업을 시작 3년 만에 세계 최초로 싱용화, 2006년에는 210억 엔의 영업이익을 내 세계 1위가 됐다. 일본은 또 새로 짓는 건축물은 에너지절약법이 규정하는 시설을 하도록 했다. 주민들은 에너지절약을 위해 덩굴식물을 심어 통풍은 잘 되면서 한 여름 따가운 햇볕을 가리도록 하고 있다.

기타 규슈시에 환경교육목적의 '환경박물관'을 설치 운영한다. 원형극장, 정보도서관, 재활용코너 등이 있다.

체험을 통한 환경의식을 고취시킬 수 있도록 제반시설이 됐다. 이산화탄소가 미치는 폐해와 그를 줄여야 하는 내용으로 된 컴퓨터게임기도 있다. 친환경기술을 한 눈에 볼 수 있다. 집에서 쓰는 물을 처리 세차, 정원수, 화장실, 청소용 등으로 재이용하고 벽이나 지붕에 태양집열판을 설치물을 데워 목욕물 등으로 사용한다. 옥상에 나무나 잔디를 심어 녹화하고 또 벽면에 이끼나 덩굴식물을 심어 에너지손실을 막는다. 에코카에 이르기까지 친환경적이다.

에너지도 절약하고 이산화탄소배출도 줄여 지구온난화 방지가 지상 최대의 과제인 현재 기업이 성공하기 위해서는 친환경적인 제품이나 시설이 아니면 안 된다. 이럴 때 일수록 사물을 보는 시야를 넓혀야 한다.

또 생각의 폭도 넓혀야 한다. 기존의 생각에서 벗어나 창조적인 사고로 바뀌어야 한다. 예리한 통찰력과 철두철미한 계획에 의한 도전이 있어야 한다. 그리고 투지와 인내로써 실천해야 한다. 그것이 곧 일개인의 성공이며 기업의 성공이고, 전 인류가 보다 나은 삶의 근원이 된다.

우리나라도 국가 브랜드도 높이고 국민들의 삶을 보다 윤택하게 하기 위해서라면 친환경녹색기술을 개발하여 주거환경도 바꾸고 생활도구나 용품도 친환경제품으로 전환되어야 한다.

온실가스감축을 위해 정부와 기업이 다각적으로 계획,

실천의지를 보이고 있다.

2020년에 2005년 기준 온실가스 4% 감축안을 가지고 녹색건축과 녹색교통을 추진키로 했다. 주택은 2012년까지 연간 에너지소비량을 현 수준 대비 30%(냉난방에너지는 50 %)을 줄인다. 이를 이행하기 위한 수단으로 2012년부터 건축물의 매매나 임대 시 건축물의 에너지사용량 등을 기재한 '에너지소비인증서'를 첨부하도록 한다.

이렇게 해서 2025년부터는 모든 신축건물에 대해 제로에너지건축을 의무화 한다. 또 교통 분야는 2020년까지 온실가스배출 전망치보다 33~37% 감축한다는 목표로 서울의 경우 도심 진입 차량에 대한 혼잡교통요금 부과대상지역을 확대하는 등 교통 수요관리를 강화한다.

또 자동차 공동 사용제도를 도입한다. 그리고 도시 광역 철도망을 대폭 늘리고 도심 내 급행 철도운행도 단계적으로 도입 확대한다. 그러면서 에너지효율 개선 뿐만 아니라 신 기술개발을 통한 태양광과, 풍력, 조력발전 등 신생에너지개발로 성장 동력을 육성한다.

녹색건축분야에서는
*대림건축환경연구센타에서는 신생에너지와 에너지절약관련 기술 등을 공동주택에 적용하기 위해 '에코3L하우스' 기술개발을 하고 있다.

에코3L하우스는 아파트 1m²의 1년 동안 냉난방을 3m로 해결할 수 있는 에너지 자립형 주택을 말한다. 이렇게 되면 기존 주택에 들어가는 연료량에 비해 최대 85%까지 절감할 수 있다.

이를 위해

-일반창호보다 보온성능이 4배나 높은 슈퍼창호와 슈퍼 외 단열 재를 개발 열 이음새는 구멍을 최대한 줄인다.

-차가운 바깥공기와 따뜻한 집안공기를 중간 온도로 한번 섞어 내 보내는 열 교환 환기시스템을 적용하면 바로 찬 기운이 따뜻한 곳에 들어 올 때보다 열 손실을 줄인다.

-5m지하 지열을 이용한 공기순환시스템을 이용한다.

-태양발전소, 풍력발전 그리고 음식물쓰레기를 발효시켜 추출한 메탄가스로 전기를 생산사용 한다.

대림산업은 에너지 사용량을 줄이는 '패시브 기술'로 냉난방 에너지를 80% 줄이고 나머지 20%는 신 재생 에너지를 만들어 내는 '액티브 기술'로 에너지 사용량을 상쇄하여 전체 화석연료사용을 제로로 하는 기술을 개발 중이다.

*삼성물산도 서울 역삼동 소재 래미안 팰리스에 태양광 발전시설을 하여 생산한 전력을 가로등이나 아파트 단지

내 경관 조명으로 쓰고 있다. 또 빗물도 모아 아파트단지 화단 살수용과 생활용수로 사용한다.

또 사용한 물을 처리 재활용하는 중수처리시스템도 개발 설치했다. 이렇게 하여 삼성물산이 건축한 모든 건축물을 친환경건축물인증을 받았다.

*GS건설은 친환경이나 에너지절감을 체험할 수 있도록 '그린마트자이' 홍보관을 마포 서교동 자이갤러리 안에 설치 운영하고 있다.

에너지를 사용하지 않으며 공기를 오염시키지 않고 소음이 없는 3제로 하우스를 영상으로 만들어 놓았다. 빗물을 실내 정원수로 재활용, 빛과 음악이 동시에 나오는 LED스피커, 세탁물 오염도에 따라 물과 세제 량을 조절하는 에너지 절감형 세탁기 등을 갖춘 아파트를 내 놓았다.

3제로 하우스는 '스마트그리드' 기술을 사용한다. 스마트그리드는 기존 전력망에 정보기술을 접목해 전력공급자와 소비자가 실시간으로 정보를 교환하고 에너지효율을 높이는 지능형 전략 망이다.

'친환경', '저 에너지'가 업계 화두로 떠오르면서 국내 주요 건설사들은 아파트 등 공동주택 건축 시 친환경 지중열을 이용한 냉난방시스템이나 태양열 발전으로 온실가스 배출을 최소화하고 또 에너지비용절감형 건축에 경쟁 중이다. 녹색기술을 중점 홍보한다.

 *대우건설도 바이오가스발전시스템, 태양광집채광시스템, 초 절수 3m양변기 등을 이용 2020년까지 외부 에너지 사용 제로 하우스를 짓는다는 목표로 기술개발을 하고 있다. 그리고 역삼동 푸르지오 벨리에 주택문화관을 설치 48가지 그린프리미엄 상품을 전시하고 있다. 이처럼 국내 건설업체들은 에너지절약 및 이산화탄소 배출량 감소를 위한 건축기술개발이 한창이다. '살아 남느냐, 죽느냐'가 달린 기술개발이 전쟁 수준이다.

 늑대가 먹잇감을 보고 치밀한 계획을 세워 사냥을 하듯 미래의 시장을 예측, 기술개발에 앞장서야만 성공하는 기업으로 영원히 존재할 수 있다.

 온실가스규제는 결국 석유라는 화석연료사용을 최소화하는 것으로 귀결된다. 인류는 에너지를 사용하지 않을 수도, 에너지가 없어서도 안 되는 식량 못지 않게 중요하다. 그래서 대체에너지개발이 불가피하다. 신생에너지개발은 국가운명이 걸려있다.

 국가마다 신생에너지개발에 돈을 쏟아 붓고 있다.

 *미국은
-10년 동안 태양열과 풍력 등 신생에너지산업에 1,500억 달러를

투입 2025년까지는 신생에너지 비율 25%로 높이고 전기자동차도 육성하는 그린뉴딜을 미래 성장의 발판으로 추진하고.
   -2009년 경기부양 방법으로 589억 달러를 에너지산업에 투자계획을 세워 시행하고 있다.

   *영국에서는 저탄소산업에 3년간 500억 파운드를 투자 신생에너지 발굴 및 에너지 효율개선 등 '그린혁명계획'을 수립시행하고, 또 2020년까지 전력 15%를 신생에너지로 대체할 계획이다.

   *중국은 2050년까지 풍력, 태양광에 의한 신생에너지를 전체 소비량의 40%까지 공급할 계획이다. 특히 건설비가 저렴하고 지리적 조건이 좋은 풍력발전에 중점을 두고 있다.

   *일본우 신생에너지 핵심기술개발 '후쿠다 비전' 계획을 추진한다.
   -차세대 신생에너지 기술개발 선점 목표.
   -러시아와 에너지전략, 재생에너지협력에 대한 합의를 체결하고 또 미국, 중국 등과 공조하는 등 시장 확보에 주력.

   *독일은 이미 1990년대부터 '신생에너지 개발'을 새로운

에너지정책으로 추진 2005년에는 1990년대 대비 온실가스 배출을 18% 감축에 성공했다. 이로써 풍력, 태양광에너지 기술에 선도적이다.

신생에너지개발에 대해 우리나라도 적극 나서고 있다. 2009년 8월 15일 광복절 행사에서 이명박 대통령은 "세계는 농업혁명, 산업혁명, 정보혁명을 거쳐 이제 환경혁명의 시대가 다가왔다. 나무와 석탄과 석유시대를 지나 새로운 에너지시대가 열리고 있다"라고 신생에너지개발의 중요성과 온실가스의 주범인 이산화탄소 배출감소를 위한 의지를 밝힌 바 있다.

앞으로는 청정에너지가 성장을 주도하게 될 것이다. 2020년쯤 되면 화석연료와 신생에너지 공급가격이 같아지는 '그리드 패리티'가 성립할 것이라고 한다.

자원 고갈로 화석연료 공급가격은 상승하게 될 것이고 반면 태양광 등 신생에너지 공급가격은 낮아져 결과적으로 신생에너지 시장 확대가 이루어져 21세기는 태양광, 풍력, 수력, 해양, 지열, 바이오, 폐기물 등 신생에너지가 녹색혁명을 이끌게 될 것으로 전망된다.

이렇게 되면 지구 온난화의 주범인 이산화탄소 배출도 급격히 감소 대기환경이 현격하게 개선될 것이다. 화석연료 사용 1% 감소는 이산화탄소 716만 톤의 배출감소효과가 있다. 문제는 신생에너지의 품질이 낮아 에너지 효율이 떨어져 반도체나 LCD 같은 고 기술집약 제품을 생산하는데는 부적합하다. 그래서 무엇보다도 시급하게 품질개선을위한 연구가 병행돼야 한다.

거대한 집광판을 대기권 밖으로 쏘아 올려 밤·낮 없이빛을 모아 전기로 전환 이를 마이크로파로 바꿔 수신기로보내 안전한 전기를 얻을 수 있다. 이렇게 하여 2020년을전후 우주에서 태양광발전이 이루어질 것이다.

신생에너지는 산업 간의 경계를 허물고 기술개발속도를앞당기고 있다. 옥수수나 해조류가 에너지가 되면서 농수산업과 기존 에너지산업이 합쳐지고 있다.

앞으로 10년 간 그린에너지 시장이 연 평균 15.1% 고도성장할 것으로 내다 봤다.

글로벌기업들이 전 세계 태양광, 풍력발전시장을 장악하고 있다. GE의 제프리 이멜트 회장은 '녹색은 돈' 이라 하며, 그린에너지 개발투자를 강화하고 있다.

우리나라는 2030년까지 신생에너지시장에 민간투자를포함하여 111조 원을 투입한다. 지금은 수소연료전지, 태양광산업 그레이드를 위한 기술개발기반 확대 단계다.

무한한 태양광시장이 활짝 열릴 것이다. 최근 글로벌 금융위기를 거치면서 미래의 '먹을 거리' 라는 확신을 갖고국내기업 중에는 삼성, LG전자 SK가 태양전지개발경쟁에나섰다.

삼성은 2013년까지 태양전지 등 그린에너지 개발 사업에 5조4천억 원을 투자할 계획이며, LG전자는 박막형 태양전지개발에 치중하고 있다. 현재 열효율측면에서 11.1%로 세계 최고다.

또 국내 조선업체들은 '풍력발전시장'에 중점을 두고 있다. 삼성도 풍력발전에 막대한 자본을 투자하고 있다. 현대중공업도 군산, 군장국가산업단지에 풍력발전기 생산공장을 건립 중이다.

미국 시장에도 진출했다. SK는 2015년까지 해양바이오연료, 태양전지, 이산화탄소 자원화, 그린 카, 수소전지, 첨단그린도시 등 7대 녹색산업에 1조 원을 투자 저탄소녹색성장을 선도하는 글로벌기업으로 도약할 계획이다.

태양광 발전에 관심을 갖고 이미 투자를 한 우리나라 우수 기업들도 2015년에는 태양광이 경제성을 갖추고 급성장할 것으로 보인다. 2030년에는 전체 에너지 가운데 41%를 차지할 거라는 전망도 내 놓고 있다.

태양에너지로는 태양광 발전, 즉 태양전지와 태양열시스템으로 구분한다. 태양전지는 IT와 접목 생활 곳곳에서 필요로 하게 된다. 유리창에는 태양전지와 OLED를 입혀 전기를 생산하고 벽에는 발광체가 포함 돼 조명구실을 한다. 가정에 설치된 태양광에서 충전한 전기로 자동차를 움직이고 태양전지로 전자제품을 사용한다.

18세기는 화석연료가 제 1의 에너지혁명이었다면, 21세기 초 태양에너지는 제 2의 에너지혁명이 될 것이다.

현재로서는 세계 태양전지시장을 독일 큐셀, 일본 샤프 그리고 중국의 선테크가 차지하고 있다. 우리나라는 독일 큐셀 수준에 비해 60~80%로써 시장 점유율 또한 0.7%에 불과하다. 게다가 핵심 소재부품은 대부분 수입으로 충당한다. 비록 후발업체로 시작은 늦었지만 삼성의 결정형, LG전자의 박막형은 세계 시장을 주도할 수 있는 잠재력을 충분히 갖췄다. 다만 현재로써는 설비투자비와 생산비가 다른 신생에너지에 비해 큰 것이 단점이지만, 그 문제만 해결되면 성공은 그렇게 어렵지 않다.

태양광발전에 비해 설치가 쉽고 발전단가가 저렴한 풍력발전은 '그래드 패리티'가 거의 비슷하게 되고 있다.

전 세계 신생에너지 발전량 중 풍력이 차지하는 비율이 2006년 기준 67.2%에 달한다. 현재 풍력과 태양광 발전 비용은 태양광이 풍력의 3배가 더 든다. 풍력발전은 건설·설치기간도 짧다. 개발기술도 성숙돼 있다.

덴마크의 베스타스는 세계 최대 풍력발전업체로 30%의 시장을 점유하고 있다. 그 외에도 큰 업체로는 미국의 GE윈드와 독일의 에너콘이 있다. 우리나라에서는 현대중공업 등 조선업체들이 풍력발전에 참여하고 있다.

화석에너지를 대체할 미래에너지로 태양광, 풍력, 조력

발전 외에도 자원 순환 형 재생에너지로 해초, 물, 옥수수, 콩, 지열, 파도, 폐기물, 매립지가스를 전기나 열 등으로 변환한 바이오에너지가 있다.

지구온난화로 기후변화가 심각해지자 각국 지도자들이 모여 대책을 논의하기에 이르렀다. 지구온난화방지를 위해 온실가스배출 주범인 화석연료를 대체할 신생에너지개발이 불가피해 졌다. 신생에너지는 미래성장 동력으로 주목받게 됐다.

성공한 기업, 성공한 사람이 되기 위해서는 친환경산업, 친환경제품, 친환경기술 등 신 성장 동력이 필요하다. 신 성장 동력은 기존 주력산업과 신 산업간 연관성이 있어야 한다.

기업들이 성장 동력을 어떻게 발굴해 내느냐에 따라 금융위기와 같은 경기불황 후 시장에서의 위상이 달라진다.

새로운 사업진출 시 성패를 좌우할 원인을 미리 알고 그에 내처해야 한다.

성패의 원인 중 성공한 기업은
*주력(핵심)사업과 관계가 깊은 사업을 선정 추진했다.
*고객의 세세한 요구와 패턴을 파악.
*성공 요인을 공식으로 만들어 신속한 의사 결정을 마련.
*시장과 기업 특성에 맞는 진입방식을 선택.

*신 사업을 감안한 조직 · 문화쇄신 등이 성공요인이다.

위와 반대로 실패 요인으로는
*핵심 사업을 고려하지 않는 사업 다각화.
*시장에 대한 지나친 낙관과 성공 가능성에 대한 과도한 자신감 등이다.

2007년에 시작된 금융위기로 몰아닥친 경기불황과 화석연료사용으로 발생된 온실가스에 의해 급격하게 지구온난화가 나타났다. 지구온난화는 고산지대의 만년설과 남 · 북극 지역의 빙하를 녹이고 생태계에 대 변화를 일으키고 있다. 각종 재난이 지구 도처에서 빈번하게 발생 인류가 최대 위기에 처했다.

지금 인류는 금융위기로 나타난 경기 불황을 타계하고. 지구온난화방지를 위해 모두가 지혜를 모아야 할 때다.

이런 상황에서 기업은 무엇을 해야 지속성장이 가능한지 또 성공을 바라는 사람은 어떻게 해야 할지 그 답을 엿볼 수 있다.

결국 기업은 지구온난화 방지를 위해 온실가스 배출을 억제하는 질 좋은 에너지를 얻는 것이다. 이산화탄소가 배출되지 않는 저 비용 고효율의 신생에너지기술개발을 위해 예리한 통찰력이 필요하다. 뿐만 아니라 치밀한 계획도, 끈기와 인내도, 강한 성취의욕도 있어야 한다. 코뿔소와 같은 멈출 줄 모르는 투지도, 잠행과 기습에 능한 악어 전술도 필요하다.

　20세기 말까지는 빈곤퇴치와 풍부한 물질만을 위한 개발 중심에서 자연환경파괴와 화석연료에 의존하는 시대였다면, 21세기는 신생에너지개발로 지구온난화를 방지, 자연생태계보존과 인류의 생존에 있다.

　지구온난화방지를 위해서 세계 각국이 온실가스배출규제를 강화하게 될 것이다. 그로 인해 미래의 경제 흐름이 크게 변화 될 조짐이 곳곳에서 나타나고 있다. 이런 때 일수록 보다 윤택한 삶, 보다 성공을 꿈꾸는 사람은 변화의 추이를 깊게 살펴야 한다. 변화하게 될 경제 흐름을 예측 미리 준비하는 것이 크게 성공하는 지름길이다.

저탄소 녹색성장시대 유망직업

인류 역사를 통해 본 직업 중에 가장 오래된 것으로 농경시대부터 이어져 오는 농업, 어업 그리고 목축업을 꼽을 수 있다.

긴 세월 인간들이 살아오는 동안 수많은 직업이 생기고 또 없어지고를 거듭해 왔다. 이 순간도 어디선가는 새로운 직업이 생겨나고 있는가 하면 또 없어지고 있다. 이 처럼 세월 따라 문화 따라 직업도 변한다.

또 호황과 불황이 오고 간다. 농경시대에도 호황과 불황이 있었다. 그 당시의 호황과 불황 그 어느 것이든 그것은 오직 자연의 몫이었다.

인류가 수천 년을 살아오는 동안 저탄소직업이니, 고탄소 직업이니 할 것 없이 무탄소 직업들만이 존재했다. 그러던 것이 18세기 영국에서 산업혁명이 일어나 기계문명이 급속도로 발전되면서부터 탄소가 하늘을 뒤덮고 산성우가 대지를 적시게 됐다.

산업혁명은 새로운 직업을 양산해 냈다. 농업이나 어업 그리고 목축업과는 달리 공업과 상업이라는 큰 틀 속에 다양한 직업이 생겨났다.

기계의 굉음은 대기에 울려 퍼지고, 공장굴뚝에서 내 뿜는 연기는 하늘을 뒤덮고, 기계를 통해 쏟아 붓는 물은 토양과 하천을 오염시켜, 물고기가 떼죽음을 당하고, 농작물은 발육이 제대로 되지 못해 결실을 맺지 못하는 등 피해가 잇따랐다.

결과적으로 기계문명은 직업이 다양화 되고 모든 재화가 풍부해지는 반면 각종 오염물질을 배출, 동식물은 물론 자연환경을 파괴, 온 지구를 병들게 했다.

그래서 폐수처리설비, 대기오염물질처리설비, 각종 폐기물 처리시설 및 환경관리를 위한 기술 등 환경산업에 종사하는 또 다른 다양한 직업이 새로 생겨났다.

인류는 끝없이 변화를 추구한다. 변화는 또 다른 직업을 만들어 내고 새로운 직업은 또 다른 새로운 직업을 만든다.

지구는 인간이 만든 기계에 의해 배출되는 오염물질로 중병을 앓고 있다. 각종 기계에서 배출하는 오염물질은 기후변화 등 자연환경을 변화시킨다. 급격한 기후변화로 수많은 동식물들이 멸종위기에 처해 있다.

동식물들의 멸종은 인간들의 생명을 위협한다. 그래서 전 인류가 녹색성장시대를 추구하지 않을 수가 없다. 시대에 맞지 않는 직업은 없어지고 또 다른 직업이 생겨난 것은 지극히 당연하다.

이런 변화와 함께 앞으로는 녹색성장시대에 맞는 또 다른 직업으로 탄소배출감정사, 녹색경영컨설턴트, 태양광 설비시스템 개발기술, 정밀 농업전문가, 생태관광가이드, 에너지사용을 최소화하는 자동차, 에너지를 사용하지 않은 자전거 제작 기술, 에너지 절감 각종 가전 및 건축물단열기술 시설설비, 태양광, 풍력 조력 발전설비 등등 신생에너지 개발기술, 탄소배출 저감기술 등 새로운 직업이 필요하다. 그 중에서도 교토의정서 이후 본격화 될 탄소배출권 거래제도가 현실화 단계에 있어 탄소배출감정사는 유망직업 중에 하나다.

탄소배출권 거래는 탄소배출을 엄격하게 측정해야 하기 때문에 전문지식과 기술 그리고 법률가적 능력을 동시에 갖춘 전문 직업으로 크게 성장할 것이다.

이 외에도 또 바이오에너지연구원, 환경소재연구개발자, 친환경차량설계개발자 등등 저탄소녹색성장시대 다양한 분야에서 새로운 직업 중 유망 직업을 선택 선점하는 것이 성공의 지름길이다. 그러기 위해서는 예리한 통찰력에 의해 자신의 능력과 소질에 맞는 가장 유망한 직업이 무엇인지 철저히 분석 선정하여 철두철미하게 실천계획을 세워 끈기와 인내로써 중도 포기하지 않고 준비할 필요가 있다.

보다 바람직한 성공을 위해서는 근면성실하면서 협동과 희생정신으로 집단생활을 하는 개미와 같이, 위협적이고 공격적인 타조와 같이, 우직한 행동으로 멈출 줄 모르고 돌격하는 코뿔소와 같이, 교활한 술법으로 기회를 노리는 하이에나와 같이, 잠행과 기습 전략으로 길들여진 악어와 같이, 예리한 통찰력과 치밀한 계획으로 협동과 희생정신으로 교활한 전술과 전략을 구사, 먹잇감 사냥으로 실패를 모르는 늑대와 같은, 그런 동물들의 기질을 본받아 실천하여야 성공할 수 있다.

성공은 꿈을 가지고 실천하는 사람만이 이룰 수 있음을 명심할 필요가 있다.

참고문헌

「트럼프 부자되는 법」/김영사, 「아이아코카 자서전」/범우, 「치국」/아이템북스, 「평천하」/아이템북스, 「세링게티 전략」/서동, 「너만의 명작을 그려라」/한언, 「엘빈토플러 부의 미래」/청림출판, 「엘빈토플러 미래의 쇼크」/청림출판, 「빈센트 반고흐」/랜덤하우스 코리아, 「세상을 보는 삶의 지혜」/매월당, 「살며 사랑하며 배우며」/홍익출판사, 「날마다 마음 속에 성공을 그려라」/국일미디어, 「미래를 내다볼 수 있는 지혜」/신라출판사, 「행복한 이기주의자」/21세기북스, 「모든 소유를 팔아 지혜를 사라」/평단, 「나를 빛나게 하는 위대한 지혜」/징검다리, 「꿈꾸는 다락방」/국일미디어, 「(이건희) 스물 일곱 이건희처럼」/다산라이프, 「이병철 3만원으로 삼성을 시작하다」/거송미디어, 「폭풍의 한가운데」/아침이슬, 「개미」/열린책들, 「헬렌켈러의 위대한 스승 애니설리번」/동쪽나라, 「이병철 자서전」/한국경제신문, 「경제위인 20명의 성공시크릿」/조선북스, 「우리경제를 일으킨 정주영」/청동거울, 「세기의 영웅」/을유문화사, 「세상을 바꾸는 나비효과」/21세기북스, 「골프먼스리2009년 1월호」외/골프먼스리.
_조선일조, 동아일보, 중앙일보, 한국일보, 매일경제, 한국경제 외 일간지 및 주간지 참조

저자소개_**한정규**

한맥문학: 수필 · 소설부문 등단
문학세계: 문학평론부문 등단
현)한맥문학가협회 부회장
한국문인협회 회원
국제펜클럽한국본부회원
(사)세계문인협회 회원
(주)성동일보 언론위원회 위원
(주)동우환경평가 부회장
전)행정부 공무원
여수 국가산단 환경협의회상임이사 및 고문
한맥문학상 수필부문 수상

저자와의 협의에 의해 인지를 생략합니다.

린 Lean 경영

....

초판 인쇄 2010년 2월 15일
초판 발행 2010년 2월 20일

지은이_한정규
펴낸이_연규석
펴낸곳_도서출판 고글

주소_서울 용산구 한강로 2가 144-2
등록_1990년 11월 7일 (제302-000049호)
전화-(02)794-4490 (031)873-7077

....

*잘못된 책은 판매처에서 교환해 드립니다.

값 10,000원